P9-AOH-561

Le Québec
en contes et légendes

Le Québec en contes et légendes

Michel Savage et Germaine Adolphe
Illustré par Marc Mongeau

MODUS VIVENDI

LES PUBLICATIONS MODUS VIVENDI INC.
55, rue Jean-Talon ouest, 2e étage
Montréal (Québec)
Canada
H2R 2W8

Directeur éditorial : Marc Alain
Designer graphique : Catherine Houle
Illustrateur : Marc Mongeau
Réviseuse linguistique : Andrée Laprise
Relectrice : Hélène Boulanger

Dépôt légal - Bibliothèque et Archives nationales du Québec, 2007
Dépôt légal - Bibliothèque et Archives Canada, 2007

ISBN-13 978-2-89523-405-0

Nous reconnaissons l'aide financière du gouvernement du Canada par l'entremise du Programme d'aide au développement de l'industrie de l'édition (PADIÉ) pour nos activités d'édition.

Gouvernement du Québec - Programme de crédit d'impôt pour l'édition de livres - Gestion SODEC

Table des matières

Biographie

Il y a 25 ans, Michel Savage et Germaine Adolphe se rencontraient à Toulouse, en France, alors que chacun d'eux naviguait sur son propre voilier. Depuis, ils ont parcouru des milliers de milles en mer, de l'Afrique aux Caraïbes, toujours à la recherche de nouvelles aventures.

Michel est diplômé en littérature de l'UQAM. Avant d'adopter un mode de vie nomade, il a enseigné au CÉGEP pendant quelques années. Puis, pour financer ses voyages, il a dû exercer de nombreux métiers dont celui de mécanicien, de conférencier et de journaliste. Il a écrit *Colomb d'outre-tombe*, un roman pour jeunes, des scénarii pour la télévision et le cinéma, des articles de magazine et même des discours politiques. Il est passionné de photographie, de reportages et d'histoire.

Après ses études à Paris, Germaine s'est engagée dans un long voyage à bord de *Rayon de lune*, son petit voilier d'acier. Après s'être établie au Québec, elle s'est lancée en traduction, une occupation qui lui permet de combler son amour de la langue et d'exercer sa rigueur intellectuelle. Bien qu'elle soit devenue une québécoise « pure laine », ses origines asiatiques et son éducation française lui confèrent une vision élargie du monde et de la culture. Outre l'écriture, elle est passionnée par les chats, la pêche et le hockey.

Avant-propos

Rédiger un recueil de contes québécois impose de faire des choix. Or, le seul objectif de ce recueil est de séduire le plus vaste public possible. Le choix des contes s'est donc fait exclusivement selon l'intérêt propre de chaque histoire et non en fonction d'une répartition géographique structurée, du niveau de qualité littéraire ou de quelque signification historique ou scientifique que ce soit. Ce recueil n'a pas, comme tel, d'ambitions pédagogiques ou ethnologiques. Il n'est conçu ni pour instruire ni pour enseigner – il est créé pour distraire.

Plusieurs contes de la tradition orale québécoise sont faits pour être racontés à haute voix, non pour être lus. C'est pourquoi nous avons effectué un important travail de réécriture pour rendre ces histoires plus faciles à lire. Souvent, il a fallu modifier les personnages et le déroulement dramatique d'une histoire. Ce qui fait qu'on pourra, peut-être, nous reprocher d'avoir manqué de respect envers l'intégrité de grandes œuvres littéraires en les simplifiant, mais les impératifs du lectorat moderne nous ont forcés à moderniser des textes qui peuvent paraître lourds et peu pertinents au XXIe siècle.

D'ailleurs, les anciens conteurs eux-mêmes ont souvent repris la même histoire, chacun à leur manière. Nous avons donc suivi cette piste en nous appropriant les histoires de la culture orale pour piquer l'intérêt de lecteurs habitués à des héros interplanétaires et à une culture télévisuelle et cinématographique extrêmement variée.

Les thèmes abordés sont ceux qui ont marqué notre histoire : la religion, le diable, les amours impossibles, la mort, la mer et ses mystères, les particularités géographiques du pays. Bien que de tels thèmes semblent démodés, il n'en reste pas moins que, de tout temps, une bonne histoire s'est articulée autour d'un combat entre les forces du bien et celles du mal, entre la vie et la mort.

Ces thèmes demeurent donc universels, malgré un fond de religiosité vigoureusement rejetée depuis la Révolution tranquille. De plus, plusieurs contes écrits au XIXe siècle véhiculent des mythes dépassés aujourd'hui, comme celui du « sauvage assoiffé de sang ». Il convient donc, à la lecture de ces contes, de les replacer dans leur contexte historique.

Ces textes portent sur de nombreux aspects de la vie québécoise entourant, par exemple, la drave, la pêche, la navigation sur le fleuve, le sirop d'érable, l'hiver, les cultures amérindiennes et inuites, la Sainte-Catherine, la fête de Noël et bien d'autres.

Bien que ce recueil soit écrit avant tout pour amuser, les lecteurs trouveront dans ces pages des leçons d'histoire qui remontent à des siècles et des leçons de géographie qui font découvrir la vaste mosaïque qu'est le paysage du Québec. Ces contes sont souvent fondés sur des faits historiques où se mêlent l'imaginaire et le réel.

Enfin, nous devons mettre en garde des parents qui seraient tentés de lire ces contes, à haute voix, à de très jeunes enfants. Il ne s'agit pas ici de contes de Maman Fonfon. Le recueil s'adresse à un public de jeunes et d'adultes et non aux tout-petits. En effet, à l'instar des grandes mythologies comme la Bible, le Coran ou la Bhagavad-Gita, ces textes sont parfois violents, cruels et impitoyables. C'est d'ailleurs ce qui leur donne une grande valeur sur le plan dramatique.

Pour terminer, nous tenons à remercier les personnes qui nous ont généreusement et adroitement guidés dans ce travail. Mme Cécile Gagnon, auteure de nombreux livres de contes, récipiendaire de plusieurs prix, nous a encouragés et instruits sur le sujet des droits d'auteur et des sources. M. Jean-Yves Dupuis a été extrêmement utile en mettant à la disposition du public sa Bibliothèque électronique du Québec (www.jydupuis.apinc.org) où paraissent des centaines d'œuvres québécoises qui, autrement, seraient restées dans l'ombre. Enfin, il faut souligner l'instinct de notre éditeur, M. Marc Alain, qui est à l'origine de ce projet et qui a su nous faire confiance et nous soutenir tout au long de cette épique aventure, et ce, nous l'espérons, au profit de nombreux lecteurs.

Michel Savage
Germaine Adolphe
Saint-Norbert, septembre 2006

La tourte, hier

Conte inédit de Germaine Adolphe
inspiré de faits historiques, 2006

Bien avant l'arrivée des Français au Nouveau Monde, les Amérindiens chassaient les tourtes qui abondaient au Québec. Ils les enfilaient sur une branche et les faisaient rôtir au-dessus du feu. La chair des tourtes était succulente, tendre et facile à apprêter.

La tourte ressemblait à un pigeon. Elle avait une poitrine blanche, des ailes brunâtres, un joli cou orangé et une tête bleu foncé. Comme tout oiseau migrateur, la tourte passait l'hiver dans les pays du sud et revenait au printemps. D'innombrables volées de tourtes venaient alors obscurcir le ciel sous les yeux ravis des Amérindiens qui guettaient leur retour avec impatience. Des centaines de milliers de tourtes envahissaient les arbres pour y pondre chacune un ou deux œufs dans un délicat nid de brindilles.

Au bord du grand fleuve Hochelaga, appelé plus tard le fleuve Saint-Laurent par Jacques Cartier, vivait une tribu pacifique, respectueuse de la nourriture-venant-du-ciel comme l'étaient toutes les nations amérindiennes. Malgré la profusion de tourtes qui faisaient crouler les branches d'arbres sous leur poids, on ne tuait jamais plus d'oiseaux qu'il n'en fallait pour nourrir la tribu.

Tikku, le jeune fils du chef, était malade depuis plusieurs lunes. Ni l'amour de ses parents ni la médecine du chaman ne pouvaient soulager son petit corps frêle, tourmenté par la maladie.

Un jour, Tikku dit à son père :
— Apporte-moi l'oiseau qui roucoule.

Quelques minutes plus tard, son père lui rapporta une tourte morte.
— Non, père. L'oiseau ne roucoule pas, fit Tikku d'une voix à peine audible.

Durant toute cette longue journée d'été, son père tenta d'attraper une tourte sans la tuer. Le soir tombant, il revint bredouille à sa tente. Voyant l'air dépité de son père, l'enfant lui expliqua :
— Père, au bord de l'eau se meurt l'oiseau qui roucoule…

Tikku n'acheva pas sa phrase et s'endormit.

Son père se rendit sur la grève et entendit un roucoulement étouffé. Il ferma les yeux et se concentra sur la provenance du son. Se dirigeant à l'oreille, il marcha longtemps avant de trouver enfin l'oiseau. Comment avait-il bien pu l'entendre de si loin ? se demanda-t-il, médusé. La tourte avait l'aile transpercée par une flèche. Il la prit délicatement et la rapporta à la tente peu avant l'aube.

Tikku l'attendait. À la vue de l'oiseau, il sourit et tendit les mains. Son père déposa la tourte sans mot dire. Tout en caressant l'oiseau qui se mit à roucouler, l'enfant chuchota :
— Père, si l'oiseau retourne dans le ciel avant l'aube, il emportera ma maladie avec lui.

Sans poser de questions, son père se rendit chez le chaman et lui demanda de guérir la tourte coûte que coûte. Le sorcier, mécontent qu'on le réveillât en plein songe, lui répondit de revenir au matin.
— Au lever du jour, il sera trop tard. Fais ce que je te dis, lui ordonna le père de Tikku.

En ronchonnant, le chaman nettoya l'aile de l'oiseau puis concocta un baume d'herbes et de graisse de poisson qu'il appliqua sur la blessure. Il banda l'aile d'un ruban de cuir rouge et remit l'oiseau au chef qui s'empressa de le rapporter à son fils.
— Fils, que dois-je faire maintenant ?

Après avoir caressé l'oiseau qui roucoulait de reconnaissance, Tikku lui expliqua :
— Laisse-le simplement partir rejoindre les siens.

Le père sortit et relâcha la tourte qui s'éleva en roucoulant de plus belle vers le soleil levant. Tandis qu'il regardait les premières lueurs du jour rougir le ciel sans nuages, il entendit Tikku accourir vers lui.

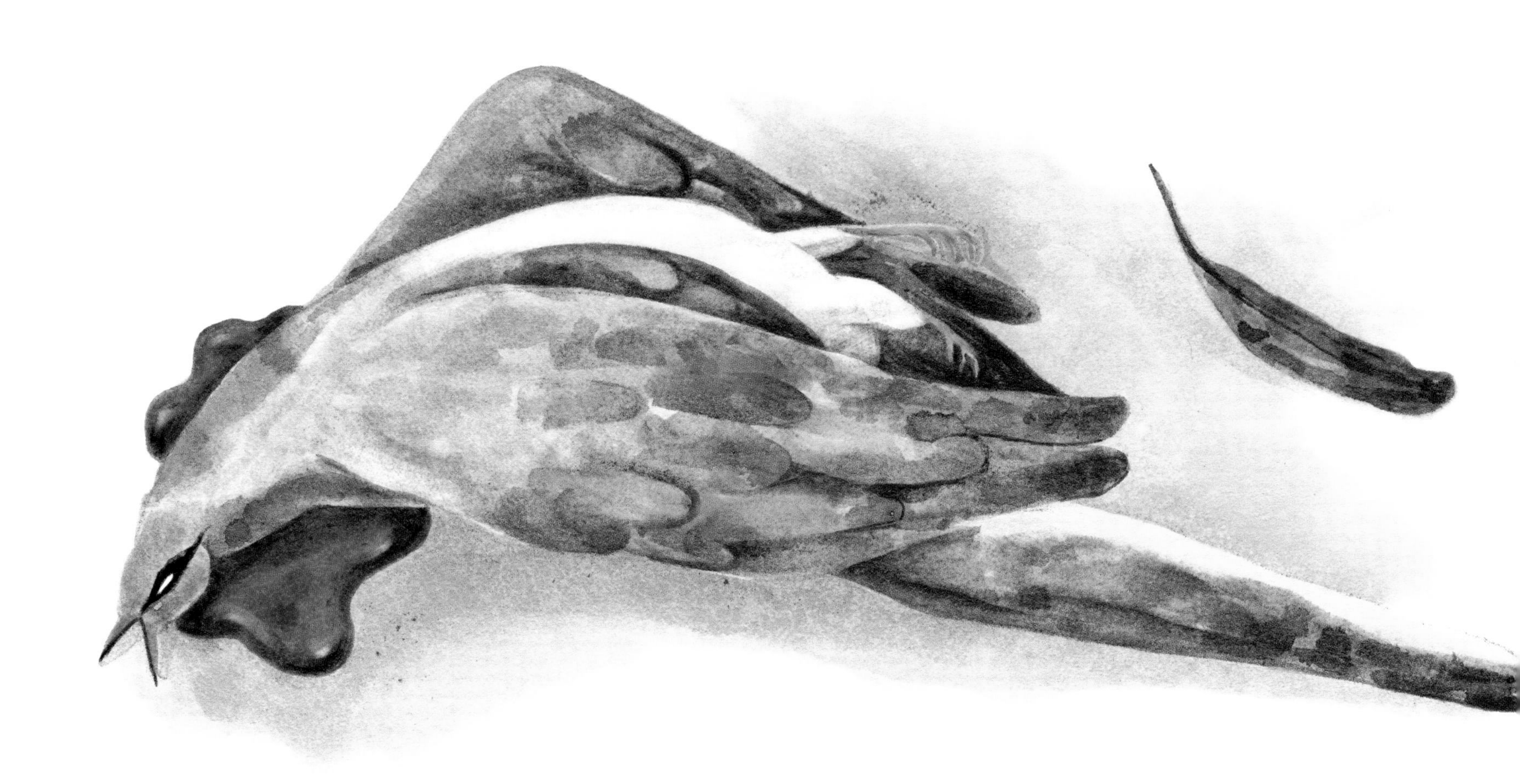

— Père, ce que nous faisons est bien. Il ne faut jamais tuer plus d'animaux et d'oiseaux qu'il n'en faut pour se nourrir. Notre survie dépend de la leur, clama Tikku.

À leur arrivée au pays, les Français découvrirent eux aussi le goût exquis de ces oiseaux. Les tourtes étant des cibles très faciles à atteindre, les nouveaux arrivants, contrairement aux Amérindiens, ne tardèrent pas à tirer sur elles pour le sport.

Vers 1850, les tourtes étaient encore très abondantes sur les rives du Saint-Laurent. On y organisait des concours de chasse auxquels participaient des centaines d'habitants du pays. C'était facile : en une seule journée, on pouvait abattre 25 000 tourtes. Nul besoin de savoir chasser. Il suffisait de pointer le fusil vers le ciel noir d'oiseaux et d'appuyer sur la détente.

On tirait sans relâche tout l'été si bien que l'automne venu, on avait abattu des millions de tourtes. Dans les villages du Québec et des provinces avoisinantes, et même aux États-Unis, on se régalait de tourtes apprêtées à toutes les sauces et de toutes les façons possibles et imaginables.

Les colonies de tourtes représentaient autant d'oiseaux comestibles qu'on n'avait pas à nourrir ou à élever. Rien ne laissait présager que cette source de nourriture, abondante et gratuite, puisse un jour se tarir.

Peu à peu, pourtant, on s'aperçut que leur nombre diminuait. Il fallait être plus habile pour les dénicher et les abattre et, surtout, pour les débusquer. Le ciel ne s'obscurcissait plus de nuées de tourtes comme à l'époque des Amérindiens. On crut que cette vulgaire volaille avait décidé d'élire domicile dans les pays du sud, mais ceux qui revenaient des Grands Lacs et des États américains se plaignaient eux aussi de la pénurie de tourte. On était toujours aussi friands de pâtés à la tourte que l'on confectionnait dans un plat qui donna bientôt son nom au mets, mais l'oiseau se faisait de plus en plus rare. Ainsi, on dut se résoudre à ne servir ce plat que lors de grandes occasions, à Noël ou au jour de l'An.

Vers la fin du XIXe siècle, les tourtes avaient presque toutes disparu. Peu à peu, on substitua la tourte dans la tourtière par du poulet, du gibier ou de la viande de bœuf ou de porc.

En 1914, on apprit par le journal *La Patrie* que la dernière tourte en captivité, affectueusement appelée Martha, venait de mourir dans un jardin zoologique du Michigan aux États-Unis. On aurait tué la dernière tourte en liberté au Québec en 1907. On prétend qu'elle avait l'aile bandée d'un ruban de cuir rouge.

La chasse-galerie

Adapté de « La chasse-galerie »
Honoré Beaugrand, 1900

Dans la cabane des bûcherons, Arsène prenait un petit coup avec ses camarades en cette veille du jour de l'An. Après avoir lampé une douzaine de gobelets de rhum, il se laissa tomber sur sa robe de carriole et sombra dans le sommeil.

Soudain, il se sentit secoué rudement par Durand qui lui dit :
— Arsène ! Les gars sont partis visiter leur famille et moi je m'en vais à Lavaltrie voir ma blonde. Tu viens ?
— À Lavaltrie, es-tu fou ? C'est à plus de cinq cents kilomètres; on n'a pas deux mois pour faire le voyage ! lui répondit Arsène.
— Animal, nous ferons le voyage en canot d'écorce et demain matin à six heures, nous serons de retour au chantier.

Durand proposait de courir la chasse-galerie et de risquer le salut éternel pour le plaisir d'aller embrasser sa blonde au village et de prendre un coup. C'est vrai qu'Arsène était un peu ivrogne et pas vraiment porté sur la religion, mais vendre son âme au diable, ça jamais !
— Poule mouillée ! Tu sais bien qu'il n'y a pas de danger. Avec la chasse-galerie, on voyage à 200 à l'heure. Il faut juste ne pas prononcer le nom de Dieu pendant le trajet et ne pas s'accrocher aux croix des clochers. Pense à la petite Liza Guimbette et au plaisir de l'embrasser. Nous sommes déjà sept pour faire le voyage et tu seras le huitième, continua Durand.
— Mais il faut faire un serment au diable et c'est un animal qui n'entend pas à rire lorsqu'on s'engage avec lui, protesta Arsène.
— Une simple formalité, mon Arsène. S'agit de faire attention à sa langue et à son aviron.

Arsène, loin d'être convaincu, accepta tout de même l'invitation.

Arsène et Durand rejoignirent les six hommes qui les attendaient, l'aviron à la main. Le grand canot était sur la neige dans une clairière. Sans plus réfléchir, Arsène était assis à l'avant, l'aviron pendant sur le plat-bord, attendant le signal du départ. Debout à l'arrière, Durand dit d'une voix vibrante :

— Satan ! Roi des enfers, nous te promettons de te livrer nos âmes si, d'ici à six heures, nous prononçons le nom de ton maître et du nôtre, le bon Dieu, et si nous touchons une croix dans le voyage. À cette condition, tu nous transporteras, à travers les airs, au lieu où nous voulons aller et tu nous ramèneras demain au chantier ! Acabris ! Acabras ! Acabram ! Fais-nous voyager par-dessus les montagnes.

Le canot s'éleva dans les airs à une hauteur de cent mètres. Arsène se sentait léger comme une plume. Aux premiers coups d'aviron, le canot s'élança et, c'est le cas de le dire, le diable les emportait.

Durand, le possédé, gouvernait, car il connaissait la route. Ils filaient plus vite que le vent. Ils naviguèrent au-dessus de la forêt sans voir autre chose que les bouquets des grands pins noirs. La nuit était superbe et la pleine lune illuminait le firmament. Le froid cinglant leur givrait les moustaches.

Ils aperçurent bientôt la Gatineau dont la surface glacée et polie étincelait comme un immense miroir. Puis ils virent des lumières dans les maisons d'habitants, des clochers qui reluisaient comme des baïonnettes. Ils les dépassaient aussi vite qu'on passe les poteaux de télégraphe en train.

Ils filaient comme des diables, survolant les villages, les forêts, les rivières. Bientôt, ils arrivèrent à la rivière des Outaouais qu'ils suivirent jusqu'au lac des Deux-Montagnes.

Déjà les mille lumières de la grande ville scintillaient. Ils filaient si vite qu'en un clin d'œil, ils dépassèrent Montréal et ses faubourgs.

Après avoir passé les clochers de la Longue-Pointe, de la Pointe-aux-Trembles, de Repentigny et de Saint-Sulpice, ils aperçurent les deux flèches argentées de Lavaltrie qui dominaient le vert sommet des grands pins du domaine.

— Attention ! Nous allons atterrir à l'entrée du bois, dans les champs, et nous irons à pied pour aller surprendre nos connaissances, cria Durand.

Peu après, le canot reposait dans un banc de neige. La maison de Batissette Augé était tout illuminée. On entendait vaguement, au-dehors, les sons du violon et les éclats de rire des danseurs dont on voyait les ombres se trémousser à travers les vitres givrées.

— Maintenant, pas de bêtises et attention à vos paroles. Dansons comme des perdus, mais pas un seul verre de bière, ni de rhum ! Et au premier signe, suivez-moi tous, car il faudra repartir sans attirer l'attention, prévint Durand.

Ils frappèrent à la porte. Le père Batissette vint ouvrir et reçut le groupe à bras ouverts. Les invités, tous des connaissances, les assaillirent de questions :

— D'où venez-vous ?

— Je vous croyais dans les chantiers !

— Vous arrivez bien tard !

— Venez vous épancher le gosier !

Tout le monde parlait en même temps.

Durand les interrompit brusquement :

— D'abord, laissez-nous nous décapoter et ensuite, laissez-nous danser. Nous sommes venus exprès pour ça. Demain matin, je répondrai à toutes vos questions et je vous raconterai tout ce que vous voulez.

Arsène avait déjà reluqué Liza Guimbette. Il s'approcha d'elle pour l'inviter à danser. Son sourire lui fit oublier qu'il avait risqué le salut de son âme pour le plaisir de se trémousser en sa compagnie. Pendant deux heures, une danse n'attendait pas l'autre. Tous s'amusaient comme des lurons.

Quatre heures sonnèrent à la pendule; il était temps de partir. Durand avait pris un coup de trop et Arsène l'aida à sortir, en faisant signe aux autres de les suivre sans attirer l'attention des danseurs.

Cinq minutes plus tard, ils s'étaient éclipsés du bal comme des sauvages, sans dire au revoir à personne, pas même à Liza, et ils étaient remontés en canot.

Que faire ? Durand avait trop bu. Qui les ramènerait au camp avant six heures du matin, avant le réveil des hommes en congé le jour de l'An ?

Arsène prit position. Avant de s'élever dans les airs, il dit à Durand :
— Pique tout droit sur la montagne de Montréal, dès que tu pourras l'apercevoir.
— Je connais mon affaire et mêle-toi des tiennes ! rétorqua Durand qui clama : Acabris ! Acabras ! Acabram ! Fais-nous voyager par-dessus les montagnes.

Ils repartirent à toute vitesse. Mais le pilote n'avait plus la main aussi sûre. Le canot décrivait des zigzags inquiétants. Ils rasèrent de près le clocher de Contrecœur et au lieu de se diriger à l'ouest, vers Montréal, Durand mit le cap sur la rivière Richelieu.
— À droite ! Durand ! À droite ! Maudit, tu vas nous envoyer chez le diable si tu ne gouvernes pas mieux que ça !

La peur commençait à tortiller l'équipage, car si Durand persistait, ils seraient tous flambés.

Après avoir passé Montréal, Durand fit tellement tanguer le canot qu'il s'enfonça dans un banc de neige au flanc de la montagne.

Heureusement, la neige molle limita les dégâts. Durand commença à jurer comme un charretier et déclara qu'avant de repartir pour la Gatineau, il voulait descendre en ville prendre un verre.

Impossible de lui faire entendre raison. Alors, à bout de patience et plutôt que de laisser leur âme au diable qui se pourléchait déjà les babines, ils jetèrent Durand dans le fond du canot et le ligotèrent tant bien que mal. Puis ils lui mirent un bâillon pour l'empêcher de vociférer des paroles dangereuses.
— Acabris ! Acabras ! Acabram !

Il ne restait qu'une heure pour atteindre le chantier de la Gatineau. Cette fois, Arsène pilotait. Ils rejoignirent la rivière des Outaouais jusqu'à la pointe à Gatineau et de là, ils piquèrent au nord vers le chantier. Peu avant d'arriver, Durand se détortilla de ses liens, arracha son bâillon et se leva dans le canot en lâchant un juron qui les fit tous frémir. Il était impossible de lutter contre lui dans le canot sans courir le risque de tomber.

L'animal gesticulait comme un perdu en les menaçant de son aviron. Pour l'éviter, Arsène fit une fausse manœuvre. Le canot heurta la cime d'un gros pin et tous furent précipités en bas, dégringolant de branche en branche.

Arsène perdit conscience. Deux heures plus tard, il s'éveilla dans son lit dans la cabane, où l'avaient transporté des bûcherons qui les avaient trouvés, lui et ses compagnons, inanimés et enfoncés jusqu'au cou dans un banc de neige du voisinage.

Le diable ne les avait pas emportés. Arsène ne démentit jamais ceux qui disaient les avoir trouvés soûls comme des grives, en train de cuver leur rhum dans un banc de neige, un aviron à la main.

Outikou

Inspiré de « La légende du géant des Méchins »
Jean-Charles Taché, 1861

Ludovic Papatiscu était un vieux prêtre roumain émigré au Québec depuis des décennies, ayant fui la guerre qui sévissait dans son pays. Il avait décidé de se consacrer à la conversion au christianisme des Mi'kmaq de la Gaspésie, ce qui n'était pas une mince affaire, car ces derniers avaient déjà tous les dieux dont ils avaient besoin. Mais le père Ludo avait appris à aimer ce vaste pays vierge et il s'était adapté aux coutumes locales. Il avait rapidement appris à parler les dialectes amérindiens.

Un beau matin de septembre, il partit de Québec en canot en compagnie de Gazelle Virile et de Raton laveur Humble, deux Abénaquis aux noms amérindiens imprononçables pour les Blancs. Le père Ludo profitait des derniers beaux jours de l'été pour entreprendre son périple annuel vers la Gaspésie où il allait célébrer mariages, baptêmes et enterrements.

Cinq jours après son départ, une tempête du nord-est força le petit groupe à contourner les îlets Méchins et à se réfugier sur la terre. Formés de deux petits rochers, situés à faible distance du rivage, les Méchins en étaient séparés par un étroit chenal. En face, la plage formait une anse sablonneuse adossée à une falaise. La région était fort dangereuse pour les navigateurs à cause de ces rochers surgissant de la mer d'abord nommés « méchants », puis « méchins ». Les Amérindiens parlaient plutôt de « Matsi », l'endroit maudit. Sur cette région sauvage, désertique, balayée par les vents du large, planait une malédiction.

Comme ses compagnons amérindiens, le père Ludo était très superstitieux, sans doute parce qu'il avait dû affronter des vampires dans son pays natal. Il savait que le Mal, partout dans le monde, pouvait prendre bien des apparences. Et, comme tous les habitants du Bas du Fleuve, il avait entendu parler de l'ogre Outikou qui, selon la légende, pouvait tuer un homme d'un seul hurlement. Ce géant, grand comme la plus haute épinette, s'appuyait sur un arbre pour marcher – sans doute était-il trop lourd pour se déplacer sans appui.

Les trois voyageurs firent un feu pour se réchauffer et pour chasser la noirceur qui alimentait la peur. Mais la tempête faisait rage et le feu s'éteignit aussitôt, plongeant les hommes dans l'obscurité totale. Pour se protéger du froid et de la pluie, ils se réfugièrent alors sous le canot renversé. Malgré le vacarme du vent et des vagues qui se fracassaient contre les rochers tout près, les voyageurs, fatigués et transis, s'assoupirent.

Soudain, au beau milieu de la nuit, un épouvantable hurlement se mêla aux bruits de la tourmente. Le cri prolongé était si puissant qu'il ne pouvait provenir que d'un endroit tout près du canot.

Des bruits de pas se firent entendre. Chaque pas faisait trembler la terre tout comme les trois hommes. Ils comprirent alors que la légende de l'ogre était fondée et qu'ils seraient les prochaines victimes.

Blottis les uns contre les autres sous le canot, ils n'osèrent relever l'embarcation de peur de voir le monstre assoiffé de sang. Le père Ludo eut toutefois l'idée de retirer le crucifix qu'il portait à sa ceinture et de le pointer sous le canot en direction du cri.

Le hurlement se transforma immédiatement en un râle semblable à celui d'un moribond au terme d'une longue torture. Puis ce fut le silence total : ni vent, ni pluie, ni vagues, ni cri. Même le ressac de la mer s'était tu, comme si la nature entière s'était pétrifiée.

Toujours assaillis par la peur, la gorge serrée et les mains moites, les voyageurs ne purent refermer l'œil. Le père Ludo laissa le crucifix pointé sous le canot, jusqu'à ce que les premières lueurs de l'aube éclaircissent le ciel.

Le soleil levé, ils sortirent craintivement de leur cachette et virent un arbre grossièrement ébranché et usé aux extrémités sur la plage. Il s'agissait sans doute de l'arbre qui avait servi de canne à l'ogre boiteux.

Le père Ludo décida alors d'en faire une croix et de la planter sur le lieu même où ils avaient passé la nuit. Si un minuscule crucifix avait chassé l'ogre, cette immense croix le tiendrait à l'écart pour toujours.

Le père Ludo et ses amis amérindiens reprirent la mer et arrivèrent à Gaspé sains et saufs. Ils y rencontrèrent des chasseurs venus de l'intérieur des terres qui affirmèrent avoir entendu l'ogre se déplacer à toute vitesse. En effet, l'ogre ayant perdu sa canne avait fui en s'agrippant aux arbres, les brisant à grand fracas sur son passage.

On n'entendit jamais plus parler d'Outikou, l'ogre des îlets Méchins, mais on désigne toujours des lieux non loin de là par le nom de l'Anse-à-la-Croix.

La vengeance des marsouins

Inspiré de « Légende de la Rivière-Ouelle »
Katherine Hale, 1926

La rivière Ouelle est située en amont de Kamouraska, sur la rive sud du fleuve Saint-Laurent. Elle serpente dans les terres vallonnées comme l'intestin d'un ruminant. Le village de Rivière-Ouelle, une seigneurie fondée en 1672, s'appelait jadis La Bouteillerie, du nom du seigneur qui s'y installa à cette époque. Les deux familles qui y habitaient, les Marsouin et les Capelan, vivaient presque exclusivement de la pêche. Peu à peu, on défricha la terre et les agriculteurs se joignirent aux pêcheurs.

Depuis des décennies, la famille Marsouin bénéficiait d'un droit exclusif de pêche à la baleine blanche, juste au large de la pointe aux Orignaux. Cette pratique, jalousement défendue, avait suscité beaucoup d'animosité chez les autres habitants de la région, d'autant plus qu'elle avait rendu les Marsouin riches comme Crésus.

La baleine blanche, que l'on appelle aussi « marsouin », un mot scandinave qui veut dire cochon de mer, ou « béluga », qui, en russe, signifie « blanchâtre », est reconnaissable à la grosse bosse qui lui sert de front et à sa bouche qui semble sourire. On la chassait à l'aide de harpons et les expéditions tournaient souvent en massacres sanglants.

Or, une année, les Marsouin avaient capturé une centaine de baleines. La pêche avait été miraculeuse et la famille décida d'inviter la parenté et les amis des paroisses voisines pour fêter la Saint-Jean-Baptiste au bord du fleuve. Dès six heures du soir, ce 24 juin, des barques pleines de joyeux fêtards arrivèrent sur la plage. De grands feux de bois illuminaient la plage et le vin coulait au même rythme endiablé que celui des violoneux qui menaient les danses.

Toute la nuit, on alimenta le feu. Toute la nuit, on but et on mangea. Les vieux se racontaient les histoires fabuleuses de leur jeunesse et les jeunes n'avaient d'yeux que pour les belles qui s'étaient parées de leurs plus beaux atours. Personne ne se préoccupait des cadavres des baleines gisant sur la plage.

Peu avant l'aube, les violoneux n'arrivèrent plus à aligner les accords et les notes étaient fausses. Ce n'était ni la fatigue ni le vin qui en étaient la cause, car ces vétérans musiciens pouvaient jouer même en dormant. Peu à peu, les danseurs, même les plus jeunes, sentirent leurs jambes s'alourdir et s'ankyloser, eux qui pourtant pouvaient tournoyer pendant des jours.

Les musiciens, incapables de diriger leur archet et de pincer les cordes, déposèrent leur violon. Les danses cessèrent et les voix se turent. Tous les regards se tournèrent alors vers le ciel.

Là, dans la semi-obscurité du crépuscule, des nuages noirs se formaient et s'étiraient comme si un peintre furieux avait barbouillé le firmament à grands coups de pinceau. Les nuages commencèrent à prendre les formes de mains géantes s'avançant vers le groupe sur la plage telle une menace divine.

Les mains flottaient maintenant au-dessus du groupe. En proie au désarroi le plus total, tous s'élancèrent vers les barques et ramèrent vigoureusement pour se soustraire à ces mains qui allaient se refermer sur eux.

Les mains infernales s'abattirent sur les petits bateaux. Les barques gîtaient et tanguaient tellement que, pour échapper à un naufrage certain, leurs occupants durent retourner à la plage. Aussitôt atterri, chacun se précipita vers les maisons les plus proches de la grève.

Onésime Marsouin était âgé et incapable de courir. Alors que tous les autres s'étaient réfugiés sur la colline, le vieil homme restait derrière. Ce qu'il vit, juste avant de se cacher dans une remise, défie l'imagination.

Au large, les mains géantes sculptèrent une montagne d'eau qu'elles poussèrent ensuite vers le rivage. La vague déferla avec fracas et recouvrit la plage entière où gisaient les restes sanguinolents des baleines tuées. Elle renversa toutes les embarcations et éparpilla leurs rames dans la mer.

Les carcasses furent englouties puis refirent surface, comme ressuscitées. Dans un tourbillon d'eau et d'écume, Onésime aperçut les yeux enflammés de centaines de baleines blanches. De ce nuage diabolique, il vit surgir des centaines de baleines chevauchées par des créatures bizarres qui faisaient claquer des fouets.

Les montures et leur cavalier foncèrent dans le tumulte des eaux et disparurent à l'horizon. Aussitôt, la mer se calma et effaça toutes les rides de sa surface. Les nuages noirs se dissipèrent rapidement, faisant place à un ciel rosé où seule Vénus brillait au-dessus de l'horizon.

La vague avait balayé tous les signes de la fête. Disparus le feu, les tables, les barques, les bouteilles, les violons et les carcasses de baleines.

Timidement, les gens sortirent de leur refuge, en se demandant ce que les Marsouin avaient bien pu faire pour déclencher une telle colère du ciel et de la terre.

Malgré cet épisode de vengeance fantastique que seul Onésime Marsouin avait contemplé, la pêche reprit peu à peu et le massacre des baleines blanches se poursuivit jusqu'en 1970.

Angélique

Conte inédit de Michel Savage
inspiré de faits historiques, 2006

Grolet Thibault, arrivé de Québec, devait rencontrer un notaire pour régler une affaire de succession. En cette première journée de l'été 1834, la chaleur était accablante et peu de gens déambulaient dans les rues de Montréal. Seules quelques carrioles transportaient des gens aisés. Dans le port, un trois-mâts était accosté au mur de protection. Des marins déchargeaient des marchandises pendant qu'un petit vapeur faisait la navette entre Montréal et la rive sud du fleuve.

Grolet frappa à la porte du petit hôtel de deux étages surmonté de deux cheminées de pierres. Une vieille femme aux cheveux blancs, raides et secs, lui ouvrit. Il paya sa chambre puis monta au second étage. Rendu dans sa chambre, il ouvrit la fenêtre pour rafraîchir la pièce exiguë.

Il déposa son baluchon et s'étendit sur la paillasse qui recouvrait un lit de bois brut. De la fenêtre montaient le clop-clop des chevaux, quelques cris de marchands ambulants, des aboiements et l'odeur du crottin.

Puis il s'assoupit. Il s'éveilla brusquement au beau milieu de la nuit, en sueur. La paillasse était complètement trempée. Il se sentait très mal à l'aise, fébrile. Il alluma la chandelle sur la table et, sans trop savoir pourquoi, il se pencha pour observer le plancher sous le lit. Instinctivement, il poussa le lourd lit tout contre le mur et se mit à tâter les grosses planches d'érable du plancher. Il remarqua qu'une planche n'était pas solidaire des autres. Il la souleva et vit qu'elle cachait une anfractuosité sous le plancher.

Il approcha la chandelle du trou et distingua, sous la poussière, une urne grossière au bouchon scellé de cire. Comment avait-il su qu'un objet se trouvait là ? Il n'avait pas de réponse, mais son instinct ne l'avait pas trompé.

Il déposa l'urne sur la table et l'observa longuement. Poussé par la curiosité, il gratta de son canif la cire qui scellait le bouchon de liège. Il enleva ensuite le bouchon qui se défit en morceaux. C'est là une très vieille urne, se dit-il.

Il ne vit rien à l'intérieur de l'urne. Il sourit à la pensée qu'un génie allait peut-être en surgir et lui offrir trois souhaits. Il renversa l'urne et il en sortit une poussière noire comme de la suie qui forma un petit monticule sur la table. Que pouvait donc être cette poussière, et pourquoi l'avait-on enfermée dans une urne cachée sous le plancher de cette chambre ?

La réponse ne tarda pas à venir.

Tel un étau, une migraine épouvantable enserra sa tête. Sa vision se brouilla. La lueur de la chandelle se mit à danser dans la chambre et il perdit aussitôt conscience. Son esprit devint noir comme un tunnel. Alors le cauchemar commença.

Il faisait horriblement chaud, comme devant l'âtre d'un forgeron. Il vit des personnages s'animer : un jeune homme, pauvre sans doute, et une jeune femme noire dans une grande robe de jute. Les amants s'embrassaient fébrilement, tandis qu'une dame de la noblesse, richement habillée, l'air sévère, criait et vociférait contre eux. Elle gesticulait et brandissait un fouet agressivement.

Les jeunes s'enfuirent.

L'horreur du cauchemar de Grolet s'amplifia. Il vit toute la ville s'embraser dans la nuit, les maisons brûlant comme des boîtes d'allumettes, les toits de chaume disparaissant sous les flammes, les murs s'écroulant. Il vit des gens courir dans toutes les directions, fuyant la ville en feu.

Le lendemain, il ne restait que des décombres fumants. Seules quelques habitations, la chapelle de Notre-Dame de Bonsecours et l'église Notre-Dame étaient demeurées intactes. Il vit ensuite, derrière les barreaux d'une prison, le visage de la jeune femme noire qui disait s'appeler Marie-Josèphe Angélique, née au Portugal et devenue l'esclave de Thérèse de Couagne, épouse de François Poulin de Francheville, un riche marchand qui serait l'un des fondateurs des Forges de Saint-Maurice.

Grolet Thibault voyait ces images et entendait ces noms, l'esprit clair et limpide.

Puis il vit au loin, rue Saint-Paul, une charrette tirée par un cheval. Angélique était couchée dans la charrette. Elle avait autour du cou une inscription qui disait « Incendiaire ». Son bras droit était enveloppé dans un linge rouge de sang – on avait coupé sa main droite. Ses jambes étaient abominablement déformées – on les avait cassées en la soumettant à la « question extraordinaire ». Au terme d'une longue séance de torture, l'esclave noire avait avoué avoir mis le feu à la maison de sa maîtresse, feu qui, par la suite, s'était propagé à toute la ville.

La charrette arriva devant la chapelle de Notre-Dame de Bonsecours. Des gens tirèrent l'esclave par les bras et la firent s'agenouiller. Ses genoux brisés ne pouvant la soutenir, la malheureuse s'affaissa sur la terre battue. Ensuite, on la remit dans la charrette, en la jetant comme un sac de patates, sans égard à ses blessures.

La charrette reprit son chemin, guidée par un bourreau, de race noire lui aussi. Elle s'arrêta sur la place du Marché, là où cent ans plus tard un hôtel sera érigé. On sortit l'esclave de la charrette et on la traîna jusqu'à la potence dressée exprès pour elle.

« Je reviendrai », dit-elle, juste avant que l'on enserre la corde autour de son cou. On laissa son corps pourrir pendant trois jours, au vu et au su de tous. On fit ensuite un grand feu où l'on brûla son corps démembré. Quelques jours plus tard, le bourreau ramassa les cendres à la pelle et les mit dans une urne qu'il devait aller vider dans le fleuve.

Le soleil n'était pas encore levé quand Grolet se réveilla, tremblant de froid et de peur. Il se mit à vomir sur le plancher. Il comprit alors qu'il se trouvait à l'endroit précis où Angélique avait été brûlée, exactement cent ans plus tôt.

Le vent s'éleva, s'éleva et s'éleva. Un tourbillon balaya la chambre et emporta les cendres d'Angélique à l'extérieur. Les cloches des églises se mirent à sonner à toute volée. C'était la pire tempête qu'on avait vue depuis des décennies. Partout dans la ville, le vent arrachait les toits des maisons dont plusieurs s'écroulèrent, ensevelissant leurs occupants; il soulevait les chevaux et les carrioles et brisait les mâts des bateaux dans le port.

Grolet ne s'était pas aperçu que la chandelle était tombée par terre. Elle enflamma le plancher, le lit, la paillasse et les poutres de bois. Il sortit en catastrophe de l'hôtel et fut vite rejoint par les autres locataires et voyageurs.

Les flammes, attisées vivement par la tempête, détruisirent l'hôtel ainsi que cinq autres bâtiments qui avaient été érigés sur l'ancienne place du Marché.

Grolet quitta Montréal sans avoir rencontré son notaire. Revenu à Québec, il fit des recherches pour comprendre ce qui s'était passé. Il découvrit qu'il était le descendant de Claude Thibault, l'amant de la belle esclave portugaise. Il apprit que la maîtresse de l'esclave avait tenté de forcer cette dernière à épouser un autre esclave noir, alors qu'elle était passionnément amoureuse du jeune Thibault, un prisonnier français, un Blanc, condamné à l'exil au Canada.

Sur les quelque deux cents maisons de Montréal disposées au pied du mont Royal, quarante-six avaient été détruites par l'incendie que l'on soupçonna être l'œuvre de l'esclave en fuite.

On n'entendit plus parler de Marie-Josèphe Angélique jusqu'au jour où, en 2006, un livre fut publié à sa mémoire. On ne sait si la malédiction perdure sur l'ancienne place du Marché mais il arrive parfois que le jour du solstice d'été, on entende des plaintes sur la place Royale dans le Vieux-Montréal.

La croix du Grand-Calumet

Adapté de « La croix du Grand-Calumet »
Guillaume Lévesque, 1847

Du temps de la Nouvelle-France, il y a plus de 300 ans, les Français étaient en guerre contre les Iroquois. Ceux-ci guettaient toutes les rivières qui montaient vers les Pays d'en haut, dont la rivière des Outaouais. Lorsqu'ils capturaient d'infortunés voyageurs venus du lac Huron et de la baie Georgienne, les Iroquois les faisaient prisonniers.

Ce printemps-là, malgré la menace des attaques iroquoises, les voyageurs venus de Sault-Sainte-Marie entreprirent de se frayer un passage jusqu'à Montréal pour y rapporter leurs marchandises.

Plusieurs canots partirent, mais presque tous s'arrêtèrent à l'île Manitoulin au nord du lac Huron. Plus loin, à l'est du lac Nipissing, il ne restait plus que deux canots. Après délibérations, les voyageurs étaient d'avis qu'il valait mieux retourner à Sault-Sainte-Marie.

Toutefois, Cadieux, le guide de l'expédition, insistait pour continuer vers Montréal. Il réussit à convaincre les plus braves de partir avec lui dans le plus grand des deux canots.

Cadieux et ses valeureux compagnons s'élancèrent sur les eaux périlleuses et gonflées par la fonte des neiges. Un jour qu'ils faisaient du portage, transportant leur canot et leurs marchandises entre les rochers qui bordent la rivière, l'un des voyageurs entendit un cri aigu ressemblant au sifflement d'un serpent.

En silence, ils armèrent leur fusil et se préparèrent au combat. Sur la rive opposée, un groupe d'Iroquois mettait ses canots à l'eau. Les hommes de Cadieux déchargèrent aussitôt une volée de coups de fusils qui dispersa l'ennemi. Mais, sortant de la forêt tout autour d'eux, une autre troupe d'Iroquois s'approcha. N'ayant pas le temps de recharger leur arme, les voyageurs décidèrent de rembarquer dans leur canot et de semer leurs poursuivants.

Cadieux connaissait si bien la rivière qu'il dirigea le canot à travers les passes les plus difficiles où les Iroquois, plus prudents, ne les suivraient pas. À grand péril, ils sautèrent tous les rapides jusqu'au chenal des Sept-Chutes et abordèrent l'île du Grand-Calumet.

Cadieux sauta à terre le premier. Croyant avoir échappé à tous les dangers, les voyageurs halaient lentement le canot quand, soudain, des Iroquois embusqués se jetèrent sur eux en poussant d'abominables cris et en brandissant leur terrible casse-tête.

Atterrés par cette attaque subite et effrayés par le nombre, les voyageurs remirent aussitôt le canot à l'eau et poussèrent au large. Les hommes n'avaient donc pas le choix. Ils devaient affronter le saut des Sept-Chutes, le plus terrible des rapides de l'Outaouais qu'aucun canot n'avait encore franchis. Ils dirigèrent leur embarcation vers le plus fort du courant, persuadés qu'ils allaient à leur perte d'autant plus que leur chef, Cadieux, n'était plus là pour les guider. Dans la fuite, personne ne s'était rendu compte que Cadieux était resté à terre.

Impuissants devant le courant infernal qui entraînait leur canot à une vitesse fulgurante, les voyageurs cessèrent de pagayer. Désespérés, ils se mirent à prier. Le ciel entendit sans doute leurs supplications, car une femme vêtue de blanc apparut miraculeusement dans le canot, là où aurait dû se trouver Cadieux.

Le canot s'élança d'un seul bond par-dessus la chute, sans même toucher à l'eau, et retomba mollement balancé sur les flots plus tranquilles au bas du rapide. Les voyageurs, émerveillés par cette apparition extraordinaire, ne savaient plus s'ils étaient encore de ce monde. Puis, toujours guidée par cette main surnaturelle, l'embarcation franchit les rapides d'Argy et ceux du Fort.

Pendant ce temps, Cadieux était tombé aux mains des Iroquois. Il s'était battu avec courage, mais avait plié sous le nombre. Blessé et plaqué contre terre, Cadieux vit les dernières secondes de sa vie s'étirer dans son esprit. Un Iroquois enragé se saisit de sa chevelure d'une main et brandit de l'autre un grand couteau, prêt à le scalper. Puis la chose la plus étrange se passa.

L'Iroquois perdit son regard haineux. Il relâcha sa prise, se désintéressa de sa victime et, l'air décontenancé, en proie à quelque vision magique, rejoignit ses compagnons.

Depuis, aucun Iroquois ne réapparut sur cette île.

Seul, sans canot, sans arme et sans nourriture, Cadieux survécut tant bien que mal. Il érigea une cabane de branches de sapin. Des semaines durant, il se nourrit de fruits, de baies et de racines. Il parvint à faire de petits feux en frappant deux cailloux l'un contre l'autre au-dessus d'un morceau d'écorce de cèdre. Quelquefois, il réussissait à abattre un oiseau en lui lançant des pierres ou à pêcher un poisson grâce au filet d'osier qu'il avait tendu. Mais l'automne était déjà entamé, les nuits devenaient de plus en plus froides et la faim le tenaillait sans relâche. Ses forces s'épuisaient.

De leur côté, ses compagnons avaient atteint Montréal sans encombre et leur histoire fantastique fit le tour du pays. Ému par cette aventure, le gouverneur décida, à la fin de l'automne, d'envoyer les amis de Cadieux et trente hommes parmi les plus courageux dans une expédition de sauvetage dont les espoirs de réussite étaient fort minces.

La route était longue et le mauvais temps retardait l'avancée. Ils arrivèrent enfin à l'île du Grand-Calumet. À l'approche des lieux de l'apparition surnaturelle, le cœur des voyageurs se mit à battre rapidement.

Ils ne virent personne sur le rivage; aucune trace de Cadieux. Après avoir parcouru l'île dans tous les sens, ils ne purent découvrir que les restes d'un abri de fortune fait de branches de sapin rougies et séchées.

Le cœur gros, les hommes se préparèrent à faire demi-tour, convaincus que Cadieux avait été tué par les Iroquois. Alors, tel un fantôme surgissant du néant, un homme apparut entre les rochers.

Personne ne reconnut Cadieux tant il était cadavérique; la misère, la faim et le désespoir avaient marqué son visage de profondes rides. Ses compagnons accoururent vers lui avec une joie débordante. Lui-même s'avançait lentement, un éclair de bonheur ranimant un court instant son œil terne.

L'émotion fut si vive que son cœur ne la supporta pas. Le valeureux Cadieux mourut dans les bras de ses amis.

On le pleura amèrement. On l'enterra à l'endroit même où il avait rendu l'âme et on planta sur sa sépulture une grande croix de bois.

Depuis, la croix veille sur les voyageurs qui s'aventurent sur les eaux tumultueuses et dangereuses de l'Outaouais, leur rappelant que seul un miracle peut sauver ceux qui font excès de témérité.

Des cris dans la brume

Adapté de « Deux histoires de brume pour marins d'eau douce »
Jean-Aubert Loranger, 1940

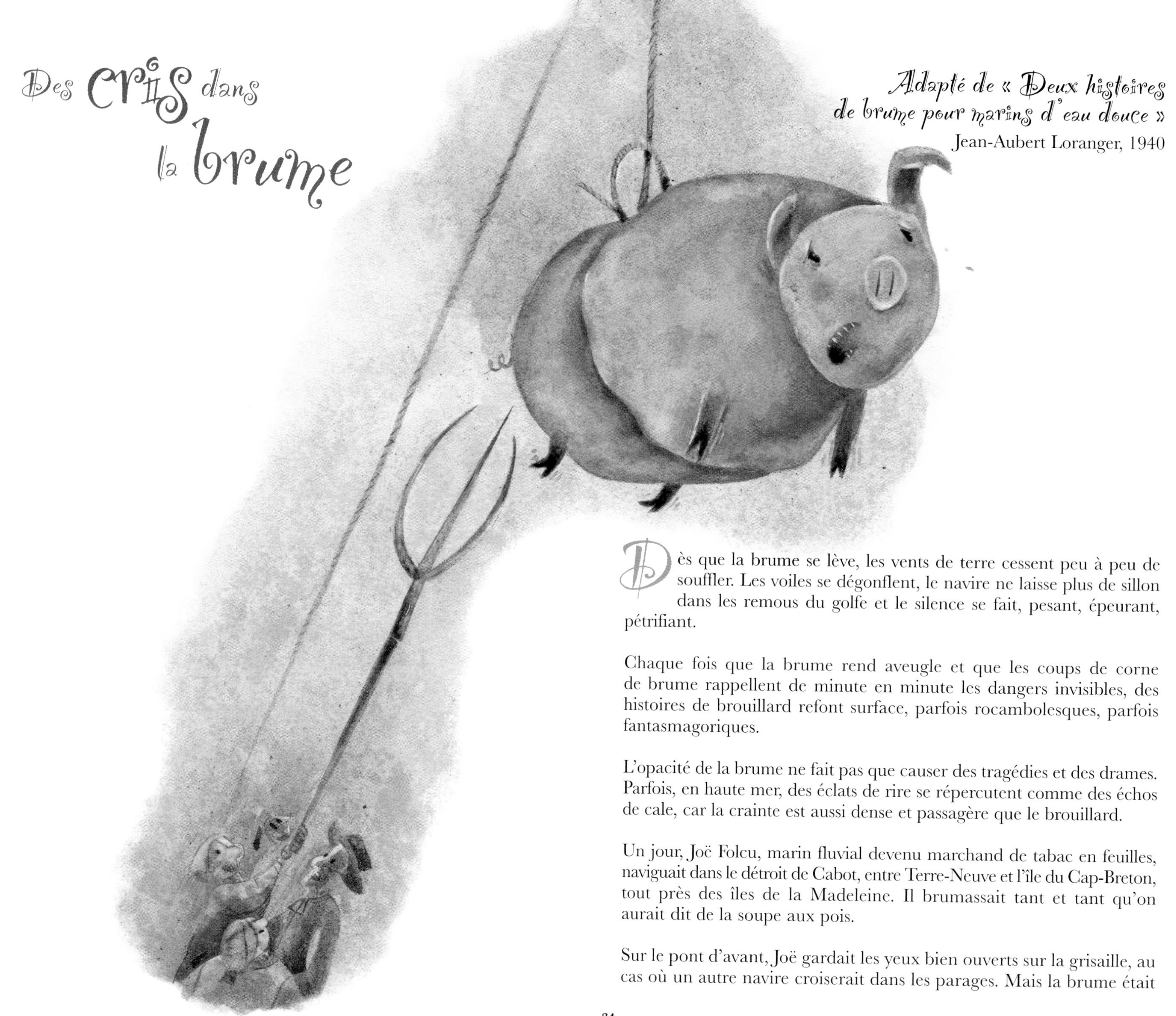

Dès que la brume se lève, les vents de terre cessent peu à peu de souffler. Les voiles se dégonflent, le navire ne laisse plus de sillon dans les remous du golfe et le silence se fait, pesant, épeurant, pétrifiant.

Chaque fois que la brume rend aveugle et que les coups de corne de brume rappellent de minute en minute les dangers invisibles, des histoires de brouillard refont surface, parfois rocambolesques, parfois fantasmagoriques.

L'opacité de la brume ne fait pas que causer des tragédies et des drames. Parfois, en haute mer, des éclats de rire se répercutent comme des échos de cale, car la crainte est aussi dense et passagère que le brouillard.

Un jour, Joë Folcu, marin fluvial devenu marchand de tabac en feuilles, naviguait dans le détroit de Cabot, entre Terre-Neuve et l'île du Cap-Breton, tout près des îles de la Madeleine. Il brumassait tant et tant qu'on aurait dit de la soupe aux pois.

Sur le pont d'avant, Joë gardait les yeux bien ouverts sur la grisaille, au cas où un autre navire croiserait dans les parages. Mais la brume était si épaisse que les limites du monde se terminaient au bout de ses bras. D'ailleurs, il faisait son quart les bras tendus, craignant de se cogner à quelque pièce d'accastillage.

Aucun hurlement de vaisseau ne se faisait entendre dans les alentours. Ils étaient bien seuls dans le détroit. Et c'était tant mieux pour l'équipage, car les courants invitaient le navire à la dérive. Après une demi-heure de soupe aux pois, un cri aigu se fit entendre à quelques mètres, droit devant le navire.

On eût dit le cri d'une femme dans les douleurs de l'enfantement. Pour certains, c'était le cri d'un chien qui se fait écraser. Pour d'autres, ce cri tellement lugubre ne ressemblait à rien du tout. Pour Joë, c'était le hurlement d'un loup-garou.

Une minute passa, puis un autre cri déchirant fendit le brouillard. L'équipage était sur ses gardes, l'oreille bien tendue. Cette fois, les marins reconnurent le cri : c'était celui d'un cochon, d'un vrai porc à la queue en tire-bouchon et à la truffe rose.

Sur le pont supérieur, le capitaine, en sueur malgré le froid, cria aussitôt au second officier :

— Vite ! Charley ! Sors les sondes. On est à quelques verges de la côte. Des habitants font « boucherie » non loin, en avant. On égorge des cochons à terre, on entend les hurlements d'une saignée !

Avant de transmettre l'ordre, Charley jeta un coup d'œil sur la carte. Il n'y comprenait rien : le sextant les plaçait au beau milieu du détroit, à des milles et des milles des côtes. On avait sans doute mal fait le point et cette erreur de calcul pouvait être fatale.

Le second officier était à peine de retour dans la timonerie, avec le rapport des sondes indiquant des milliers de brasses de profondeur, qu'un autre cri de cochon égorgé se fit entendre à la proue du vaisseau.

Le navire s'en approchait inéluctablement, il n'y avait pas de doute, malgré les précisions techniques de la navigation.

Effrayé, tout le monde se tenait au bastingage, comme à l'arrivée d'un vaisseau à bon port. Mais ce port-ci ne disait rien qui vaille. D'un instant à l'autre, on s'attendait à voir surgir du brouillard quelque rocher inconnu ou la proue d'une corvette de pirates évadée d'une histoire de peur et dont l'équipage était en train d'égorger une innocente victime.

Tous avaient la gorge aussi sèche que de la cendre.

Une demi-heure plus tard, la brume se leva enfin. Une bonne petite brise avait eu raison d'elle. Le soleil se montra d'abord sans éclat ni chaleur, comme une lumière blafarde qui paresse dans le ciel avant de se ressaisir. Le brouillard était devenu rose, presque diaphane.

Enfin les marins purent voir clair, et sur la mer et dans leur esprit. Un grand éclat de rire monta du vaisseau, telle une clameur qui suit une bonne blague, quand ils virent l'auteur des horribles cris.

À quelques verges, à l'avant, se tenait une vieille goélette, toutes voiles baissées. À mi-mât, au palan, un gros cochon bien rose et bien dodu était suspendu par le milieu du corps avec des câbles. Et comme le brouillard venait de se lever, quelques pêcheurs se préparaient à le descendre dans la cale ouverte au pied du mât.

Ces pêcheurs n'avaient pas de corne de brume, ou bien elle était défectueuse, et, sachant qu'il y avait un autre vaisseau à proximité dans le brouillard, la peur d'être abordés leur avait donné du génie.

Un cochon qu'ils transportaient à fond de cale avait tout simplement servi de sirène. Toutes les minutes, comme le veut la loi maritime, un pêcheur armé d'une fourche piquait le pauvre cochon dans le derrière.

Tous pensèrent qu'il s'agissait là, en effet, d'une superbe sirène de brume dont l'éclat et la portée égalaient bien ceux de la corne traditionnelle.

La princesse basque

Inspiré de « The Ghost Ship »
Katherine Hale, 1926

Sur la rive nord du fleuve Saint-Laurent, tout juste en amont de l'île aux Coudres, un pêcheur basque du nom de Vittorio Sansfaçon vivait seul avec sa fille Espéranta, qui était belle comme un soleil de printemps. La mère Sansfaçon était morte en donnant naissance à sa fille et Vittorio ne s'était jamais remarié. Les Québécois de l'époque se mariaient souvent avec des Amérindiens, même si ceux-ci demeuraient pour les Blancs un peuple méconnu. Vittorio espérait que sa fille épouse un chef indien afin que son petit-fils perpétue la tradition de la pêche – les Indiens étant les meilleurs pêcheurs qu'il ait jamais connus.

Un jour, John Jones, un trappeur anglais, vint frapper à sa porte pour demander à boire. Le jeune homme à fière allure revenait des bois les bras chargés de fourrures et se rendait au port pour s'embarquer pour Québec. Dès que son regard croisa celui d'Espéranta, dans la pénombre de la maison de pierres, il sut qu'elle était la femme de ses rêves.

Au lieu de s'embarquer pour Québec, John érigea une tente dans les bois non loin de la demeure d'Espéranta. Chaque fois que le père Sansfaçon partait à la pêche, John visitait la belle jeune fille pour lui faire une cour empressée, si bien qu'Espéranta s'éprit follement de lui.

Un jour, le couple fut surpris par Vittorio qui, se doutant d'une liaison de sa fille avec l'Anglais, avait fait mine de partir à la pêche. Voyant le couple enlacé, le père fut pris d'une rage intense. Alors, pour échapper à cette colère, les amants prirent la fuite.

Tout l'hiver, ils se cachèrent dans la forêt de sapins et d'épinettes, se nourrissant de lièvres et de perdrix et s'abritant dans des huttes de fortune. Malgré les efforts surhumains qu'ils devaient consacrer à leur survie, leur amour ne cessait de grandir.

Le printemps apporta un grand réconfort aux amants. Ils avaient repris des forces et décidèrent d'aller à Tadoussac pour se marier devant un prêtre – il leur importait que leur union fût reconnue par Dieu, car ils ne désiraient en aucun cas vivre dans le péché.

Alors qu'ils s'apprêtaient à sortir de leur forêt protectrice pour s'approcher du fleuve, le soleil devint beaucoup plus chaud qu'à l'habitude. Peu à peu, les feuilles des arbres se mirent à sécher et à tomber. La chaleur devint insupportable. Des sapins s'enflammèrent ici et là. Espéranta et John comprirent alors que la forêt tout entière prenait feu et qu'ils se trouvaient en plein incendie.

Chaque arbre était un flambeau. Les herbes se consumaient à une vitesse folle. Pris de panique, les animaux fuyaient leur tanière. John eut alors l'idée de les suivre, car ceux-ci devaient connaître une issue. Ils prirent donc la même direction que les lièvres, les marmottes, les souris et les chevreuils.

Ils coururent ainsi pendant des heures, aveuglés par la fumée, dégoulinants de sueur, fuyant l'enfer qui menaçait de les embraser à tout instant. Et soudain, le sol se déroba sous leurs pieds et ils se retrouvèrent dans le vide au-dessus du fleuve. Sans le savoir, ils avaient sauté du haut d'une des falaises abruptes qui surplombent l'embouchure du Saguenay.

Ils survécurent miraculeusement à leur chute. Les membres brisés, presque noyés et transis de froid, ils dérivèrent jusqu'à la rive où ils perdirent conscience.

Un voyageur qui fuyait lui aussi le feu de forêt les trouva allongés dans une position grotesque sur les roches de la rive, respirant à peine. Au prix de grands efforts, il les emmena au village le plus proche où, pendant des mois, il les soigna avec amour et tendresse. Revenus à la vie, les amants étaient toutefois devenus infirmes, faibles et vulnérables; leur ardente jeunesse s'était presque envolée dans leur chute.

Plus tard, on ramena John et Espéranta à leur village, où ils apprirent la mort de Vittorio survenue lors d'une tempête sur le fleuve. Toujours obsédés par l'idée de faire bénir leur union, les amants tentèrent à nouveau de faire venir un prêtre à la chapelle du village, inoccupée depuis des mois. En février 1663, en plein cœur de l'hiver, le vœu des amants allait être exaucé : un prêtre disposé à les marier officiellement arriva enfin.

Après avoir réuni des témoins parmi les chasseurs et les pêcheurs locaux, le prêtre fit venir les fiancés dans sa minuscule chapelle de bois. Vêtu de ses vêtements rituels, il procéda à la cérémonie de mariage et en vint à la fameuse formule :

— John Jones, acceptez-vous de prendre pour épouse Espéranta Sansfaçon ?

John, appuyé sur de grossières béquilles, se tourna tendrement vers sa fiancée et répondit :

— Oui, je le veux.

— Espéranta Sansfaçon, acceptez-vous de prendre John Jones pour époux ?

Avant même que la fiancée ait prononcé les mots solennels, le ciel s'obscurcit complètement, comme lors d'une éclipse de soleil, et plongea la chapelle dans la noirceur.

Un violent tremblement de terre secoua le sol et une énorme partie du terrain s'avança vers la mer. Dans la petite chapelle, les chandeliers sacrés tombèrent sur le sol en répandant des flaques de cire. Dehors, les mésanges à tête noire se turent et les lièvres, qui avaient revêtu leur fourrure blanche d'hiver, se réfugièrent dans leur trou.

Peu à peu, la lumière du soleil revint et la terre cessa de gronder. La petite assemblée se précipita à l'extérieur pour voir ce qui s'était passé. Elle découvrit devant elle les éboulements qui avaient surgi. Remis de leurs émotions, le prêtre et les témoins retournèrent dans la chapelle. Elle était vide. Les futurs mariés avaient tout bonnement disparu. John et Espéranta s'étaient volatilisés.

On ne revit jamais les amants.

Cependant, des voyageurs affirment qu'au-dessus de la baie apparaissent parfois une belle princesse basque et son fiancé, en habits de noces, le regard rivé sur la petite chapelle du village.

La maison qui tremble

Conte inédit de Michel Savage
inspiré de faits divers, 2006

Il y a environ un demi-siècle, Marco Poreau cherchait un logement à Montréal pour s'y installer avec sa famille. Il venait d'être muté de Lévis aux chantiers de la Vickers situés dans le quartier Hochelaga, dans l'est de la ville.

Il trouva finalement un appartement au deuxième étage d'un triplex près des rues Ontario et Pie IX. Le logement était libre depuis peu. La dernière locataire, une vieille dame seule, y avait rendu l'âme pendant son sommeil. Mais Marco qui n'était pas superstitieux sauta sur l'occasion. Après avoir repeint les murs jaunis et à certains endroits parsemés de traces d'humidité, il emménagea avec sa femme et ses trois enfants.

Au troisième vivaient Bruce, un vieil Irlandais, et sa sœur Gladys. On savait peu de choses d'eux, car ils étaient discrets et ne parlaient pas le français. Le propriétaire du triplex et sa famille occupaient le premier étage.

Un soir, vers neuf heures, Marco regardait la télévision – le premier appareil du genre à faire son entrée dans sa vie – quand il sentit la maison trembler. Un gros camion qui passe, se dit-il, en haussant les épaules.

Mais le jour suivant, à la même heure, la maison trembla de nouveau, cette fois, plus fort et plus longtemps. Inquiet, Marco sortit sur le balcon pour trouver une quelconque explication. La rue était déserte. Peut-être s'agissait-il d'un léger tremblement de terre ? À son retour dans le salon, il réajusta les antennes dites « oreilles de lapin » du téléviseur qui grésillait.

Le troisième jour, la maison trembla au point de projeter un cadre par terre. La réception télé fut momentanément coupée. De son balcon, Marco vit que tous les habitants de l'immeuble étaient sortis voir ce qui se passait.

Pendant plusieurs semaines, le phénomène cessa. Mais entre-temps, Marco remarqua la réapparition de traces d'humidité sur le mur de sa chambre pourtant recouvert de couches récentes de peinture. C'étaient de grandes taches de couleur rouille qui souillaient tout un pan du mur. Il tenta de les essuyer avec un linge humide, puis de les récurer, sans succès. Il conclut à une fuite dans la plomberie et décida d'en parler au propriétaire.

Le propriétaire, un monsieur Lafortune, se rendit dans la chambre du deuxième pour examiner le problème. Il suggéra de repeindre le mur avec de la peinture à l'huile, ce que fit Marco sans tarder.

Puis les tremblements reprirent de plus belle, toujours à neuf heures. Maintenant, la maison tremblait au point de mettre en péril la vie des occupants. On appela les pompiers et les plombiers qui ne trouvèrent rien. Évidemment, les journalistes s'étaient précipités sur les lieux pour informer le public du « phénomène mystique ». La maison hantée fit la une des journaux et, dès lors, les curieux défilaient tous les soirs pour assister au spectacle.

Et les taches de rouille réapparurent.

Les choses allaient de mal en pis pour Marco. Il avait perdu son emploi à la Vickers et se chamaillait avec sa femme à propos de tout et de rien. La vie familiale était devenue tendue. La vie en général s'était assombrie.

Un soir, un policier sonna à la porte. À côté de lui se trouvait Victor, l'aîné des trois fils de Marco, qui avait été arrêté pour vol à l'étalage.
— Vous feriez bien de garder un œil sur lui, dit le policier.
— Il n'a jamais fait rien de mal; c'est la première fois.
— Faites attention, cette maison amène la malchance, prévint le policier.
— Que voulez-vous dire ? demanda Marco, interloqué.
— C'est que… Mais vous devez bien savoir ce qui s'est passé ici, non ?
— Non, je ne comprends pas.

Le policier était visiblement mal à l'aise. Il enleva sa casquette, passa sa main dans ses cheveux taillés en brosse et poursuivit :
— Ben, c'est que… il y a dix ans, une jeune fille s'est suicidée dans ce logement. C'est moi qui ai constaté les faits. Vous le saviez sûrement.
— Non, dit Marco. Le propriétaire ne m'en a jamais parlé.
— Elle s'est tirée un coup de fusil dans la bouche. Elle était la fille unique d'une veuve. Une peine d'amour, croit-on. Puis la veuve s'est mise à dépérir et elle est morte récemment au terme d'une longue maladie mystérieuse.

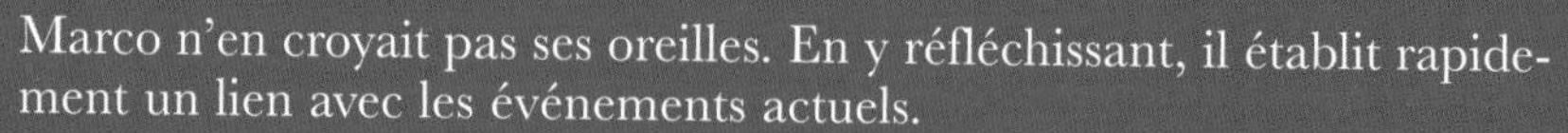

Marco n'en croyait pas ses oreilles. En y réfléchissant, il établit rapidement un lien avec les événements actuels.

— Où était-elle lorsqu'elle s'est suicidée ?

— Dans la chambre face à la rue.

Le policier quitta les lieux, laissant Marco à ses réflexions.

Ce dernier se rendit aussitôt dans la chambre en question et comprit que les souillures sur le mur étaient en fait des taches de sang qui ressurgissaient comme une malédiction.

À neuf heures pile, la maison se mit à trembler, cette fois, avec une vigueur qui força son évacuation. Le plâtre tombait en plaques des plafonds; les murs se lézardaient. De sinistres craquements laissaient croire que la maison tout entière allait s'effondrer. Les spectateurs entassés dans la rue reculèrent précipitamment.

Les balcons se détachèrent de leurs amarres et s'écrasèrent sur le trottoir. La maison s'écroula comme un château de cartes, dans un nuage de poussière qui se répandit sur tout le quartier. Les pompiers arrivèrent à toute pompe pour constater les dégâts. Il n'y avait aucune victime, mais la maison était une perte totale.

Marco retourna à Lévis et sa vie familiale redevint sereine.

Aujourd'hui, il n'y a plus de traces de cette maison. À son emplacement, on a construit un stationnement.

Le mouillage maléfique

Inspiré de « Légendes gaspésiennes »
1931

La rivière Madeleine se déverse dans l'estuaire du Saint-Laurent. La côte, à cet endroit, est constituée d'un cap chapeautant l'arc de terre que dessine la péninsule de la Gaspésie. C'est un lieu grandiose, d'une beauté époustouflante. Pendant des siècles, la rivière a accueilli des pêcheurs à la ligne venus y taquiner le saumon, le poisson le plus noble du Québec.

L'embouchure de la rivière Madeleine était un havre où se réfugiaient les marins et les pêcheurs lors de tempêtes soudaines. C'est là que les navigateurs en péril jetaient l'ancre quand les brisants venaient se fracasser contre les roches du rivage. Et c'est pourquoi, en 1870, on y avait construit un phare.

Or, selon plusieurs marins, c'est dans ce lieu que durant les tempêtes on entend le Braillard, c'est-à-dire la plainte des spectres qui ne connaissent pas la paix éternelle. Ce havre de protection serait, en réalité, un endroit maudit qui aurait été la scène d'événements cruels.

Il y a fort longtemps, un navire hollandais qui faisait le commerce de la fourrure, le *Eeweewellew*, fit naufrage près de ces côtes et le corps de son capitaine, Hans Leewiuweu, s'échoua dans l'embouchure. Tous les gens du village étaient venus voir ce corps gonflé et bleui qui flottait parmi les algues. On commença par ratisser la plage dans l'espoir d'y trouver quelque cargaison. Plus tard, lorsqu'on revint chercher le corps du capitaine, celui-ci avait été emporté par la marée.

Pendant des années, la famille du capitaine réclama ses ossements pour qu'ils puissent être ensevelis en terre consacrée. Elle envoya en vain des centaines de lettres au maire du village. Personne ne savait ce qu'il était advenu des restes du valeureux marin.

C'est là aussi qu'on aurait assassiné Walter Wally, le capitaine d'un brigantin du pays de Galles ancré non loin de là, pour s'emparer de la cargaison du navire. Le meurtrier n'ayant jamais été identifié ni puni, le fantôme du capitaine tué se lamente, paraît-il, chaque fois que la tempête fait rage.

Mais le souvenir le plus douloureux fut celui du naufrage qui emporta tout l'équipage d'un brick-goélette. Seul un petit garçon de trois ans échappa miraculeusement à la noyade. Un chien terre-neuve sentit le mouvement et les cris désespérés du bambin parmi les cadavres qui flottaient sur les eaux. Sans hésiter, il plongea dans la mer, tira l'enfant jusqu'au rivage et le déposa délicatement sur les galets.

Les aboiements de la bête finirent par attirer l'attention des pêcheurs du village qui découvrirent l'enfant et le recueillirent. Malgré les soins attentifs qu'on lui prodigua et toute l'affection qu'on lui donna, l'enfant cruellement arraché de la protection de ses parents finit par mourir de tristesse.

Ces lieux maléfiques furent fréquentés non seulement par des pêcheurs mais aussi par des colons qui ne connaissaient pas grand-chose à la mer.

Un enfant venait tout juste de naître dans la maison de Régule Blanchette, située un peu en retrait du rivage. La naissance s'était déroulée sans problème, ce qui était rare à une époque où il n'y avait que peu de médecins et de sages-femmes; il arrivait souvent que les accouchements finissent tragiquement. Mais ce jour-là, les cris du nouveau-né remplissaient la maison d'allégresse.

La coutume voulait que l'on envoie quelqu'un au village demander au curé de venir baptiser le poupon. On disait que si un enfant mourait sans être baptisé, il irait dans les limbes plutôt qu'au ciel parmi les anges. Les limbes étaient un endroit vide, silencieux, où le temps n'existait pas. On n'y souffrait pas, mais on risquait fort de s'y ennuyer jusqu'à la fin des temps.

Pour des raisons obscures, le curé refusa de se rendre chez les Blanchette. Il prétexta quelque vague maladie, alors qu'il était de notoriété publique que sa seule maladie était celle de la bouteille – il aimait un peu trop le vin de messe.

Malheureusement, le nourrisson rendit l'âme le lendemain, aux premières lueurs du jour. Son cœur fragile n'avait pu supporter le traumatisme de son entrée dans un monde nouveau.

Dès lors, le curé vit sa santé faiblir. Il se mit à dépérir à vue d'œil. Il ne mangeait plus et vivait en ermite, refusant de sortir du presbytère où il s'était enfermé. Il ne pratiquait plus les rituels du culte, forçant ses paroissiens à franchir de grandes distances pour recevoir les sacrements si importants.

Après quelques semaines, le curé n'était plus qu'un être décharné qui passait le plus clair de son temps allongé dans son lit.

Un jour qu'il avait repris un peu de vigueur, le curé se rendit sur la grève. Il erra sans but, l'air hagard, en proie au désespoir et à la culpabilité d'avoir laissé mourir un enfant sans baptême.

Personne ne revit le curé et on ne retrouva jamais son corps. Avait-il été dévoré par des bêtes ? Avait-il été happé par la marée ?

Depuis ce temps, ses gémissements s'ajoutent à toutes les lamentations infernales du Braillard qui hante la Madeleine.

Les loups-garous

Adapté de « Le loup-garou »
Honoré Beaugrand, 1900

L'archipel du lac Saint-Pierre est composé d'une centaines d'îles basses et marécageuses situées dans le fleuve entre Sorel et Berthier, en amont du lac Saint-Pierre. C'est là que vivent encore aujourd'hui des centaines de hérons qui s'y reproduisent. Au XIXe siècle, c'était une région sauvage où seules quelques personnes y avaient érigé une maison. Au début de l'hiver, quand la glace du fleuve est mince, et au printemps, lorsque la débâcle a lieu, ces habitants étaient complètement isolés du monde. Personne ne sait ce qui se passait dans ces maisons perdues au fond des marais.

Anselme devait avoir treize ans. Il était cuistot à bord d'un chaland dont le capitaine, Adélard, était son père. Utilisé pour le transport de marchandises, le chaland était un bateau plat d'environ dix mètres, au faible tirant d'eau, surmonté d'un mât à gréement aurique. À la poupe se dressait une primitive cabane qui servait de cabine et d'où on gouvernait à partir du toit. Lorsqu'il n'y avait pas de vent, on pouvait faire avancer le bateau grâce à de longues perches. Il était sale et montrait de nombreuses traces d'usure profonde.

En ce jour de la Toussaint, par une grande brise de nord-est, Adélard et Anselme remontaient le fleuve depuis Québec avec une cargaison de charbon. Ils traversèrent le lac Saint-Pierre sans encombres et atteignirent la tête du lac vers sept heures du soir.

La nuit était noire comme de l'encre de Chine et il bruinait, ce qui empêchait les marins de bien distinguer le phare de l'île aux Loups. Anselme était de vigie à l'avant, alors que son père était à la barre. L'entrée de la baie de l'île aux Loups étant étroite, il fallait ouvrir l'œil pour ne pas s'échouer. La brise était si bonne qu'on dut baisser les deux voiles d'avant et ne garder que la grand-voile.

Le temps s'éclaircit enfin. Sur la rive de l'île brûlait un grand feu de sapinage autour duquel dansaient une vingtaine de possédés. Plissant les yeux, Anselme distingua des êtres diaboliques à tête et à queue de loup, dont les yeux brillaient comme des tisons. Par terre, à côté du feu, gisait le corps d'un homme que quelques maudits déchiraient en lambeaux. Des ricanements sataniques se firent entendre jusqu'au chaland dont l'arrivée passa totalement inaperçue.

Anselme était si dérouté par cet étalage d'horreurs qu'il resta figé quelques minutes. Il voyait pour la première fois de sa vie une ronde de loups-garous. Le diable avait réuni tous ces damnés pour leur faire boire du sang de chrétien et leur faire manger de la viande fraîche.

Remis de ses émotions, Anselme courut à l'arrière du bateau pour attirer l'attention de son père. Ayant déjà entendu parler du pique-nique des loups-garous, Adélard s'empara de son vieux fusil tout rouillé pour tirer sur les possédés qui continuaient à crier comme des perdus en sautillant bêtement autour du feu. Il en avait vu d'autres et il connaissait bien les remèdes pour combattre les monstres de tous genres. Mais il fallait agir rapidement, car le bateau filait bon train vers le nord-est.

— Vite ! Anselme, donne-moi la branche de rameau bénit à la tête de ma couchette dans la cabine. Tu trouveras aussi un trèfle à quatre feuilles dans un livre de prières, prends deux balles et sauce-les dans l'eau bénite. Vite, dépêche-toi !

Anselme trouva le rameau bénit mais ne put mettre la main sur le trèfle à quatre feuilles. Dans l'énervement du moment, il renversa le petit bénitier sans pouvoir y tremper les balles. De retour sur le pont, Anselme n'osa avouer à son père qu'il n'avait pu trouver le trèfle à quatre feuilles et qu'il avait renversé le bénitier.

Adélard prit le rameau sec, le pulvérisa entre ses doigts et en bourra le fusil. Il mit les deux balles dans le canon, fit un grand signe de croix et visa dans le tas de mécréants. Le coup partit, mais c'était comme s'il avait chargé son fusil avec des pois. Les loups-garous continuèrent à danser et à ricaner, en les pointant de leurs doigts difformes et crochus.

— Les maudits ! Je vais essayer encore une fois, cria Adélard.

Il rechargea son fusil et, en guise de balle, il fourra son chapelet dans le canon.

Boum ! Cette fois le coup porta. Sur la rive, le feu s'éteignit et les loups-garous s'enfuirent à toutes pattes dans les bois, en poussant des cris effroyables. Mais comme le chapelet était neuf et n'avait pas encore été béni, Adélard se dit que les loups-garous iraient sans doute continuer leur sabbat sur un autre point de l'île. Au moins, ils les laisseraient tranquilles. Le père et le fils mirent pied à terre et coururent vers la pauvre victime. L'homme avait rendu l'âme depuis longtemps. Son corps était déchiqueté, ses intestins traînaient par terre et sa tête avait été arrachée et jetée dans les flammes maléfiques. Adélard et Anselme creusèrent un trou et y déposèrent respectueusement le peu qu'il restait du cadavre.

Ils regagnèrent le chaland en silence.

De retour à Berthier, Adélard raconta son histoire au curé. Jamais on ne sut qui avait été assassiné ce soir-là, car personne ne réclama la dépouille. Mais, par acquit de conscience, le curé se rendit à l'île aux Loups pour bénir la sépulture de l'innocente victime. Il rendit grâce à Dieu et en profita pour bénir toute l'île.

Depuis, l'île aux Loups s'appelle l'île de Grâce.

C'est depuis ce temps aussi que les chasseurs superstitieux qui débusquent le canard en automne font bénir leurs balles de fusil.

Les diables du matin

Inspiré de « Légendes canadiennes »
Charles-Édouard Rouleau, 1930

Un chasseur nommé Eutrope Poitras avait l'habitude d'aller chasser les oies blanches lorsque celles-ci se regroupaient par milliers sur les battures, à marée basse, lors de leur migration.

Eutrope partait toujours en pleine nuit afin d'avoir le temps d'ériger une cache sur la plage et de se mettre à l'affût dès le petit matin.

Ce matin-là, Eutrope arriva au fleuve alors qu'il pleuvait à grosses gouttes et que le tonnerre grondait sourdement. Il chercha du bois de mer pour se fabriquer un abri, mais décida finalement de s'embusquer derrière un gros rocher en surplomb de la grève.

Dans la grisaille du crépuscule à peine entamé, il ne vit aucun oiseau, ce qui était inhabituel en pleine saison de migration. Normalement, la plage aurait dû être blanche d'oiseaux à perte de vue, dans toutes les directions.

Scrutant la plage dans la brumaille du matin gris, il aperçut une lueur bleutée qui vacillait comme un mirage. Il essuya la pluie de son visage et plissa les yeux pour mieux distinguer cette vague lueur.

Il crut tout d'abord qu'il s'agissait d'un feu de bois allumé par des chasseurs, ce qui était impossible car il pleuvait trop pour qu'un feu puisse brûler. Il décida de s'en approcher pour en avoir le cœur net.

La visibilité était réduite, pourtant, plus il avançait, plus le feu devenait distinct et étrange. Ce n'était pas un feu comme tel, car il n'y avait ni flamme ni fumée, juste une lueur bleutée qui devenait de plus en plus brillante au fur et à mesure qu'il s'en approchait.

Son cœur se mit à palpiter et sa respiration s'accéléra. Jamais il n'avait vu une chose pareille. Peut-être s'agissait-il de feux follets, peut-être n'était-ce qu'une illusion. En tout cas, il n'avait pas bu la veille et son esprit était clair comme le cristal.

À la gauche du feu, il y avait un gros rocher qu'il décida d'escalader afin d'avoir une meilleure vue du phénomène. Dès qu'il eut atteint le sommet du monticule, ses cheveux se dressèrent sur sa tête et il eut le souffle coupé.

Il vit très clairement, à quelques dizaines de mètres de lui, douze nains endiablés à cornes et à queue qui dansaient autour du feu verdâtre en brandissant des fourches. Il se pinça comme pour se réveiller d'un mauvais rêve et se frotta les yeux de nouveau. Mais la ronde infernale avait bel et bien lieu devant lui.

Alors, pour effacer cette vision cauchemardesque, il eut l'idée de tirer un coup de carabine dans le tas.

Il vérifia son arme pour s'assurer qu'il y avait une cartouche dans la chambre, épaula et pressa sur la détente. Un grand boum éclata dans le silence du matin. Le recul du fusil le fit tomber derrière le rocher. Il se releva lentement, prêt à faire feu de nouveau, et regarda en direction de la ronde diabolique.

La batture était aussi déserte qu'un désert africain. Aucune trace de feu, de pas ou de diablotins. La lueur s'était complètement évaporée.

Il descendit du rocher et marcha prudemment vers la grève. Pendant de longues minutes, il chercha des traces de sa vision, mais ne trouva que du sable et des galets. Puis son attention se porta sur une petite tache rouge.

Il se pencha pour mieux voir et s'aperçut que c'était un petit morceau de laine rouge, un déchet sans doute rapporté par la marée. Il tira sur le bout de laine et vit qu'il s'agissait d'une tuque rouge. Bien que trempée, la tuque avait l'air neuve. Il la mit dans sa besace et, l'esprit torturé, revint à sa maison en se disant qu'il avait été victime d'une hallucination.

Eutrope n'osa jamais parler de cette histoire, de peur que l'on se moquât de lui. D'ailleurs, il n'y croyait plus et avait mis cette hallucination sur le dos d'une indigestion. Il avait toutefois gardé la tuque.

Plusieurs mois plus tard, il sortit la tuque rouge enfouie dans un tiroir et la porta pour aller à la messe. Sur le parvis de l'église, avant le rituel dominical, il rencontra Eusèbe, un de ses voisins, qui lui dit :

— Mais où donc as-tu trouvé mon bonnet de laine ?

— Sur la plage, l'automne dernier, alors que je chassais l'oie blanche, répondit Eutrope.

— C'est donc toi qui as tiré ?

— Oui, mais j'ai tiré, heu, dans le vide… balbutia Eutrope.

— Dis-moi la vérité, dis-moi exactement ce que tu as vu, insista Eusèbe.

Un peu gêné, Eutrope raconta alors la scène de la lueur bleue et des diablotins. Il relata les événements en riant, de crainte de passer pour un fou, mais Eusèbe l'écoutait avec un vif intérêt en hochant la tête.

Puis Eusèbe tira Eutrope par la manche de son manteau pour l'éloigner de l'église. Loin des autres paroissiens, il s'arrêta, s'approcha de l'oreille du chasseur et chuchota d'une voix à peine audible :

— Ne répète jamais ce que je m'apprête à te révéler. Ce que je vais te dire est un secret absolu.

— Ouais, je te le jure, fit le chasseur.

Eusèbe poursuivit sa confidence :

— J'étais l'un des diables que tu as vus. En me blessant, tu m'as fait verser des gouttes de sang qui m'ont libéré de la malédiction qui pesait sur moi.

Eusèbe releva la manche de son manteau et lui montra une cicatrice sur son avant-bras, de toute évidence, celle d'une blessure causée par une balle de fusil tirée à courte distance.

— Garde la tuque et si tu revois une telle scène, n'hésite jamais à tirer. Les nuits de pleine lune, les damnés se métamorphosent en diables. Sauve-les, comme tu l'as fait pour moi, l'implora Eusèbe.

L'Iris

Conte inédit de Michel Savage
inspiré de faits historiques, 2006

L'*Iris* était un superbe yacht à moteur, bordé d'acajou verni qui reluisait comme un miroir. Son étrave bien droite fendait l'eau du fleuve avec grâce et finesse. Le bateau était la fierté de Jack Potter, son propriétaire, un riche industriel de Montréal. L'été, Jack invitait à bord ses amis de la haute société et leur en mettait plein la vue avec son équipage en uniforme, ses boiseries étincelantes et ses cabines luxueuses. Il les emmenait en croisière de Québec au Saguenay pour y contempler les paysages époustouflants du fjord.

Or, en ce 29 mai 1934, Jack se trouvait à environ trois milles nautiques au large de Sainte-Luce. À Québec, il avait embarqué cinq collègues, propriétaires de brasseries et de grands hôtels de Montréal. Il faisait encore nuit. L'épais brouillard qui s'était levé vers cinq heures du matin enfermait le yacht dans une bulle isolée du monde extérieur. L'*Iris* faisait route à bas régime, le capitaine Bernier ayant réduit la vitesse à cinq nœuds pour éviter toute collision avec quelque navire marchand, une menace constante dans ces parages.

Pendant que tous dormaient dans leur cabine richement tapissée, Bernier aperçut soudainement une barque à quelques pieds devant son étrave. Immédiatement, il mit la barre à tribord pour l'éviter et les moteurs en marche arrière pour stopper le bateau.

Un homme d'environ 45 ans arborant une moustache blanche était assis dans la barque. Il ne ramait pas, il ne pêchait pas; impassible, il regardait le yacht qui s'approchait prudemment de lui.

Bernier sortit de son poste de pilotage et, du pont, héla le personnage solitaire.

— Monsieur, avez-vous besoin d'aide ? demanda-t-il.

S'exprimant dans un fort accent irlandais, l'homme répondit : « Puis-je monter à bord ? »

Bernier aida l'homme à grimper à bord de l'*Iris*. On attacha la barque à la poupe du yacht. Pendant ce temps, Jack et ses convives, réveillés par les bruits, apparurent sur le pont, grelottant dans leur vêtement de nuit. Tous étaient curieux de rencontrer l'étranger perdu dans le brouillard.

Dans la cabine, on servit du thé chaud à l'homme qui dit s'appeler « Tower » ou « Toner ». Il ajouta qu'il s'était perdu dans la nuit, désorienté par le brouillard. Bien qu'on le pressât de questions, Toner ou Tower n'en dit pas plus.

Bernier sortit son livre de bord afin de consigner le sauvetage. Incertain, il redemanda le nom de l'étrange personnage à la moustache blanche.

— Clarke, William Clarke, répondit l'homme à la dérive.

Bernier hésita, hocha la tête et inscrivit « Clarke-Toner ».

— Nous vous débarquerons à Rimouski, dit-il.

Face à l'incongruité de la situation et au mutisme de l'inconnu, un lourd silence s'installa entre les passagers du yacht. Cet homme bizarre, mal habillé, hirsute, sale comme un charbonnier, mettait tout le monde mal à l'aise.

Les invités allèrent se vêtir dans leur cabine. Clarke demeura seul dans le carré, fermé comme une huître, le regard vide. Bernier reprit les commandes de l'*Iris*, remit les gaz et pointa la proue vers Rimouski.

Quelques minutes plus tard, le brouillard commença à se dissiper. Soudain, Bernier vit la moitié du ciel s'obscurcir. Une gigantesque étrave de fer fendait l'eau noire. En une fraction de seconde, la monstrueuse proue d'un cargo éperonna le flanc du yacht. Il y eut un craquement de bois horrible et des grincements affreux. La mer envahit l'univers de Bernier.

Plongé dans le noir et l'écume glacée, Bernier tournoya parmi des fragments de bois et des nappes de mazout.

Au bout de ce qui présageait la mort certaine, l'effroyable maelström cessa. Régurgité par la mer, Bernier émergea en toussant et en crachant. L'*Iris* n'était plus que débris flottants. Deux corps disparurent lentement dans l'eau noire.

Au loin, Bernier vit la silhouette d'un vieux cargo qui s'estompait dans le brouillard. Heureusement pour lui, la barque de l'inconnu dérivait, intacte, non loin de là.

Ankylosé par le froid, il nagea avec l'énergie du désespoir jusqu'à la barque et s'y hissa. Pendant de longues minutes, il appela Jack et ses invités. Seul un lugubre silence fit écho à ses appels répétés.

Les heures passèrent. Le brouillard se dissipa complètement. Bernier crut mourir de froid lorsque l'équipage d'une goélette l'aperçut, vint à sa rescousse et l'emmena jusqu'à Pointe-au-Père. Chemin faisant, la barque de l'inconnu, remorquée derrière la goélette, chavira et coula à pic. On ne tenta pas de la récupérer.

À Pointe-au-Père, Bernier dut rencontrer le chef de police, le vieux capitaine Trudel, afin de relater les événements tragiques qui s'étaient déroulés sur le fleuve. Hormis Bernier, l'équipage de la goélette n'avait retrouvé aucun autre survivant sur les lieux du drame.

— Tower ou Toner, vous dites bien, répéta Trudel, sceptique.
— Oui, confirma Bernier. Il a dit plus tard qu'il s'appelait Clarke, William Clarke, je crois, enfin, je ne sais plus, il m'a donné des noms différents.
— Curieux, dit le chef de police, cela me rappelle quelque chose.

Il ouvrit un tiroir et en sortit des papiers qu'il scruta attentivement. Il trouva une page sur laquelle il y avait une liste de noms; son gros doigt la parcourut et s'arrêta.

— William Clarke, c'est bien ça, aussi connu sous le nom de Tower ou Toner.
— Qui est-ce ? demanda Bernier.
— Vous ne le croirez pas. Clarke, Toner et Tower sont la même personne qui, pour des raisons qu'on ignore, aurait changé de nom plusieurs fois. Il est devenu célèbre…
— Célèbre ?

— Eh bien, selon nos dossiers et les articles de journaux, cette personne aurait survécu au naufrage du *Titanic* en 1912, de l'*Empress of Ireland* qui a coulé ici même en 1914 et du *Lusitania* qui a été torpillé peu après au large des côtes irlandaises. Je crois, capitaine, que vous faites erreur quant à l'identité de la personne que vous avez rescapée. Votre histoire est impossible. D'ailleurs, ce Clarke ou Tower ou Toner aurait actuellement plus de 70 ans. On ne sait même pas s'il vit encore.
— Attendez, dit Bernier. Nous sommes bien le 29 mai ?

Le policier acquiesça.

— N'est-ce pas le jour où l'*Empress of Ireland* a coulé il y a exactement 20 ans, à l'endroit même où je viens de perdre l'*Iris* corps et biens ? demanda Bernier d'une voix incertaine.
Le policier haussa les épaules. « Vous me racontez des sornettes », dit-il.
— Mais la barque, je ne l'ai tout de même pas inventée, insista Bernier; nous avons remorqué la barque dans laquelle se trouvait ce Toner; le capitaine de la goélette l'a bien vue, il peut confirmer mes dires.
— Il n'y avait pas de barque, capitaine, répondit le policier. On vous a trouvé accroché à un débris flottant. Pas de barque. Pas de rescapé. D'ailleurs, aucun navire marchand n'a été rapporté dans nos eaux cette nuit.

Pendant des semaines, Bernier répéta son histoire sans que personne ne le crût. À la longue, il commença à douter de lui-même et de ce qui lui était arrivé.

L'épisode de l'*Iris* sombra dans l'oubli. La perte du yacht fut officiellement mise sur le compte d'une explosion.

Bernier fut mis à la retraite pour cause d'aliénation mentale.

Le retour de l'amant

Inspiré de « Le rocher de Grand-Mère »
tradition orale, 2006

Le grand chef algonquin Ohanko Achak vivait dans la région aujourd'hui appelée Grand-Mère.

Un jour, sa fille unique Mékapu tomba amoureuse d'Odanak, le meilleur chasseur de la tribu. Ce dernier finit donc par demander à Achak la permission de vivre avec Mékapu. Le père posa une condition : le jeune homme devait lui apporter un canot rempli de fourrures de qualité, afin de prouver qu'il était digne de son clan.

Après avoir conclu le pacte avec le chef Achak, Odanak était impatient d'en remplir les conditions, afin de pouvoir enfin aimer la belle Mékapu.

Avant son départ pour la chasse, Odanak se rendit avec Mékapu sur un rocher qui surplombait des chutes spectaculaires. Dans le vaste paysage de la forêt mauricienne, ils se firent la promesse d'être fidèles l'un envers l'autre.

Ils s'embrassèrent tendrement alors que le soleil se couchait derrière les montagnes. C'était un moment magique. Les « wip-pour-will » de l'engoulevent se mêlaient au grondement des chutes. Par milliers, les grenouilles croassaient. De la forêt s'élevait une brume parfumée de l'odeur des conifères. Les amants passèrent ainsi toute la nuit à se désirer et à se caresser affectueusement.

Puis le brave Odanak, le cœur débordant de volupté, partit pour sa grande chasse. Il se promettait de ramener les plus belles fourrures de renard, d'ours brun, de castor et de loutre. Au petit matin, il mit son canot d'écorce à l'eau, regarda derrière lui une dernière fois et vit Mékapu sur la rive qui déposait un bouquet de fleurs printanières sur l'eau de la rivière.

Des lunes passèrent. Odanak n'avait donné aucun signe de vie. Il était parti vers le nord, là où les meutes de loups étaient nombreuses et souvent tenaillées par la faim. Mais Odanak était fort, courageux et habile. Mékapu avait confiance en lui.

L'été s'était écoulé. Les moustiques étaient apparus en nuages infernaux, puis avaient disparu avec l'arrivée de l'automne. Déjà, les arbres commençaient à se transformer et leurs feuilles changeaient de couleurs.

Mékapu n'en pouvait plus d'attendre son bien-aimé. Tous les jours, elle se rendait au bord de la rivière, mais à part les canards, les perdrix et les sarcelles, elle ne vit jamais le canot d'Odanak. Elle scrutait le ciel, les arbres, les montagnes et la rivière, mais Odanak restait silencieux comme l'hiver qui approchait.

D'autres lunes passèrent, puis les saisons s'enchaînèrent les unes après les autres. Bien des fois, la nature avait changé sa palette de couleurs, passant du vert tendre au vert foncé, puis au jaune et au rouge, au blanc étincelant et au vert tendre de nouveau.

Odanak ne revint jamais.

Tous les jours de sa vie, même les jours d'orage et ceux de grande froidure, Mékapu s'était rendue sur la rive pour guetter le retour de son amant. Tous les jours, elle avait versé des larmes d'une peine infinie qui avaient fini par creuser son visage de profondes rides.

Devenue vieille, Mékapu perdit tout espoir. Odanak ne reviendrait pas; son canot avait sans doute chaviré dans les rapides ou les loups l'avaient dévoré.

Un matin d'octobre, alors que la forêt avait revêtu sa robe aux couleurs flamboyantes, tel un dernier cri de vie avant le grand silence de l'hiver, Mékapu se traîna, de peine et de misère, jusqu'à la rive. Cette fois, il ne s'agissait pas d'y attendre le retour de son bien-aimé, mais d'y mourir.

Avec difficulté, elle s'assit sur une roche tout près de l'eau vive, près des chutes où jadis elle avait juré fidélité éternelle à son amant. Elle demanda au Grand Esprit d'envoyer un message d'adieu à Odanak, en signe de son amour éternel.

Lentement, son corps bascula dans l'eau, comme attiré par un inévitable désir. La rivière l'emporta tout doucement.

Le ciel s'assombrit. Un vent glacial siffla dans les branches. Des centaines de feuilles se détachèrent des arbres et vinrent tourbillonner au-dessus de la rivière. Des nuages noirs et lourds se formèrent au-dessus des chutes, puis un éclair aveuglant s'abattit sur le rocher où Odanak et Mékapu s'étaient embrassés pour la dernière fois.

L'éclair fit éclater la surface du rocher comme le burin d'un sculpteur fait gicler des éclats de pierre. Alors les nuages se dissipèrent et le vent se calma.

Au-dessus des chutes, le Grand Esprit avait sculpté le visage de la vieille Amérindienne qui regarde au loin pour toujours, dans l'attente de son bien-aimé. Un cadeau éternel taillé à jamais dans le granit qu'offrait Mékapu à son amant.

Voilà pourquoi les Algonquins nommèrent cette chute Kokomis, c'est-à-dire « ta grand-mère ». Voilà aussi pourquoi on appelle Grand-Mère le village qui fut fondé en 1898.

Quinze ans après la création du village, les gens de la région voulurent construire dans ces chutes une centrale hydro-électrique. Obéissant sans doute à quelque volonté spirituelle, ils ne détruisirent pas le fameux rocher, mais le transportèrent plutôt dans un parc municipal où tous peuvent l'admirer.

La Corriveau

Inspiré de contes de Louis Fréchette et de Philippe-Aubert de Gaspé

ainsi que de faits historiques, 1863

Depuis peu, la Nouvelle-France avait été conquise par les Anglais qui y régnaient en maîtres. Ils faisaient la loi et, comme tout envahisseur, l'appliquaient parfois avec une grande cruauté.

Marie-Josephte Corriveau vivait dans un petit village près de Lévis. Elle avait, paraît-il, le pouvoir d'embraser le cœur d'un homme plus facilement que ne brûle une branche d'épinette. C'est pourquoi elle se maria sept fois. Elle était belle comme une forêt d'automne; ses baisers étaient sucrés comme le miel et sa peau, fraîche comme la brunante. Ses charmes étaient aussi envoûtants que des sortilèges. Mais elle avait un côté noir.

Elle exerçait, dans le plus grand secret, l'art d'invoquer les morts et d'apprivoiser les créatures infernales. Personne ne sut d'où lui était venue cette prédilection pour les choses morbides.

La Corriveau se maria en 1749. Marie-Josephte était une jeune fille d'une simplicité touchante et fantasque à la fois. Elle était l'orgueil de son vieux père, veuf depuis longtemps. Habile menuisier, il avait fabriqué les meubles de sa fille et bâti sa maison en forte charpente de chêne. Il avait construit par avance le berceau qui devait accueillir son petit-fils, l'héritier de son patrimoine.

Le jour des noces, les divertissements furent excessifs. On dansa à se tourbillonner la tête. Tout le monde se régalait du plaisir de la fête. Toutefois, le vieux père, les yeux humides, remarqua que sa splendide fille unique n'avait pas souri une seule fois pendant la célébration.

Les années passèrent. Le vieux père s'attristait qu'aucun enfant ne vînt animer la maison de sa fille.

Devrai-je mourir sans descendance, sans pouvoir serrer contre mon cœur un petit-fils ? se demandait-il en soupirant.

Pourtant, dans la maison de Marie-Josephte, tout semblait normal. Son mari ne la trouvait pas souriante, certes, mais il l'aimait. Une nuit, le mari s'aperçut que sa femme sortait en douce de la chambre. À pas feutrés, il s'insinua derrière elle. Arrivé au bord du Saint-Laurent, il vit sa femme survoler les eaux pour rejoindre une troupe de diablotins et de sorciers qui faisaient un sabbat infernal sur l'île d'Orléans.

Il poussa un cri que sa femme entendit. Marie-Josephte, dont le visage angélique s'était transformé en celui d'une vilaine sorcière, prononça une formule magique. Le mari se sentit alors attiré malgré lui vers les eaux du fleuve. Une force terrible l'attirait au fond. Il voulut appeler à l'aide, mais il sombra silencieusement dans les eaux.

Le lendemain, on trouva le corps du mari de Marie-Josephte sur les battures. À Saint-Vallier, on pleura le jeune noyé et l'on plaignit la jeune veuve. Or, comme rien n'est éternel, ni le bonheur ni le chagrin, un prétendant demanda bientôt la main de la Corriveau qui, après avoir pris conseil auprès de son père, accepta la proposition.

Il y eut une autre belle fête. Elle ne fut troublée que par le glas qui sonna sourdement quand le marié prononça le oui fatidique.

Sept mois plus tard, Marie-Josephte fit appeler le docteur Brassard, un chauve à lunettes, au chevet de son mari malade. Sur le corps de l'infortuné s'étendaient des écailles vertes et gluantes comme la lèpre. Le docteur frémit. Il n'avait jamais rien vu de semblable. Il lui administra des remèdes divers, puis avoua à Marie-Josephte que la seule chose vraiment utile à prescrire à son mari était les derniers sacrements. Quand le prêtre se présenta, le pauvre homme voulut dire quelque chose, mais Marie-Josephte l'en empêcha en disant :

— Taisez-vous, mon mari, économisez vos forces pour le grand voyage qui vous attend.

Le malade mourut peu après, sans avoir pu parler, mais en pointant toujours sa femme du doigt.

Marie-Josephte se maria encore cinq fois et cinq fois encore on entendit le glas. Le troisième mari fut trouvé étouffé sous des balles de foin, le quatrième mari disparut mystérieusement, le cinquième fit une étrange indigestion, le sixième mourut dans son sommeil. Puis vint le septième et dernier mari, Louis Dodier.

Celui-là, on le découvrit dans l'étable, presque sous le cheval de trait, le crâne défoncé par ce qui semblait être le fer de l'animal. On fit alors enquête et l'on découvrit que Dodier avait été frappé à la tête par une fourche, encore ensanglantée, qui se trouvait non loin de l'écurie.

On suspecta bien sûr Marie-Josephte. Les autorités du village firent alors exhumer le corps de son sixième mari, celui qui avait trépassé durant son sommeil, afin de faire la lumière sur ce décès. Le fossoyeur s'exécuta. Quelle ne fut pas l'horreur de toute la petite communauté lorsqu'on découvrit, prisonnier dans le canal auditif du crâne, un petit morceau de métal.

La Corriveau avait versé du plomb fondu dans l'oreille de ce pauvre mari qui, comme les autres, avait percé ses activités de sorcellerie. Le plomb brûlant n'avait laissé aucune trace. Il avait coulé doucement dans l'oreille jusqu'au cerveau qu'il avait consumé.

On déterra les autres maris inhumés dans le cimetière de Saint-Vallier. À l'analyse des restes, on découvrit de nouvelles preuves accablantes contre la femme scélérate, démontrant que ses veuvages n'étaient pas l'effet d'une fatalité.

On mit la Corriveau en prison et on la conduisit ensuite à Québec pour être jugée. Son vieux père n'arrivait pas à se résigner à ce que l'on exécutât sa fille. Il eut donc l'idée de s'accuser à la place de Marie-Josephte. Ainsi, au cours du procès, le vieillard se leva et dit d'une voix chevrotante :

— Arrêtez le procès. C'est moi qui ai assassiné les maris de ma fille.

L'accusée sourit pour la première fois de toute sa vie, mais ne daigna pas regarder son père, ni lui témoigner, pour ce sacrifice, pitié ou reconnaissance. On jeta le père en prison après l'avoir sur-le-champ condamné à mort. La veille de l'exécution, toutefois, un jésuite vint confesser le vieillard qui lui révéla qu'il s'était dévoué pour sa fille. Le religieux lui expliqua que le salut de son âme ne pouvait permettre qu'une meurtrière reste impunie, même s'il s'agissait de sa fille.

Le vieux consentit alors à révéler la vérité. La justice conduisit donc au gibet Marie-Josephte, la Corriveau, meurtrière de ses sept maris. Elle fut pendue à Québec en 1763, aux Buttes-à-Nepveu près des plaines d'Abraham, et son corps avachi de suppliciée fut mis dans une cage de fer que l'on accrocha à un arbre, à la croisée de quatre chemins, près de la Pointe-Lévy.

L'affreuse cage de fer resta suspendue un mois en grinçant terriblement à cause de son crochet rouillé. Les oiseaux de proie allaient becqueter la dépouille à l'aube et au crépuscule. Le peuple n'osait plus fréquenter ce lieu sinistre où le corps de la Corriveau était lentement dévoré par les asticots.

Après des semaines, il ne restait plus de la femme que quelques lambeaux de chair brunis et séchés par le soleil. Sous la cage rouillée, l'herbe était brûlée jusqu'à la racine.

Certains disaient que, la nuit tombée, la Corriveau sortait de sa cage et pourchassait les voyageurs attardés. D'autres prétendaient qu'elle pénétrait dans les cimetières pour s'abreuver du sang des morts nouvellement ensevelis. Des individus dignes de foi racontaient qu'ils avaient aperçu de grandes ombres obscures autour de la cage de fer qui murmuraient à l'oreille de la Corriveau : sans doute des loups-garous qui lui faisaient la cour.

Un matin, les paysans qui se rendaient à Québec pour y vendre leurs légumes constatèrent que la cage avait disparu. Elle fut retrouvée en 1850, près d'un cimetière de Lauzon. Vide.

La peine d'Isabelle

Adapté de « La roche pleureuse »
Jean des Gagniers, 1969

Hector Nestor était un fier capitaine à l'allure noble. Jeune homme courageux, il avait affronté mille tempêtes sur toutes les mers du monde. Il était issu d'une famille bourgeoise de l'île aux Coudres, qui voyait d'un mauvais œil le fait qu'il aimât tant la mer; elle aurait préféré qu'il devînt un marchand prospère. Mais le fougueux fils de la bourgeoisie avait trop soif d'aventures et de découvertes. Il avait besoin de la brise du grand large pour respirer.

Hector s'apprêtait à traverser l'Atlantique vers la France, où il comptait y vendre sa cargaison de bois carré. Il avait déjà effectué la traversée de trois à quatre semaines à maintes reprises. En ce temps de l'année, les vents étaient faibles, trop faibles, et il fallait qu'une vigie permanente surveille les glaces qui descendaient du nord.

Hector aimait la délicieuse Isabelle. Ses cheveux étaient blonds comme un champ de blé dansant sous le soleil; sa peau, blanche et douce comme un vallon de neige; ses yeux d'azur, profonds comme un abysse. Prodiguant une générosité sans limites, elle était toujours gaie et souriante malgré les vicissitudes de la vie. Quand quelque malheur frappait la famille, Isabelle ravivait l'espoir de tous.

Hector devait épouser la jeune fille dès son retour en septembre, avant que les bourrasques froides et violentes des nordets ne commencent à enrager l'Atlantique Nord. Ils avaient déjà construit la maison qui allait abriter leur progéniture tant souhaitée. Pendant que son bien-aimé voguerait sur les flots gris de l'océan, Isabelle meublerait et décorerait sa maison pour qu'elle soit accueillante et chaleureuse comme un nid d'hirondelle.

En juin 1805, profitant de la marée haute et d'une brise d'ouest, Hector appareilla à bord de la *Galipette*, un élégant trois-mâts dont l'étrave arborait une belle sirène bleue en figure de proue, sculptée par les artisans de son île. Le bateau n'était pas neuf, loin de là, mais il était solide et disposait d'un équipage aguerri, habitué au roulis et au tangage, méprisant le froid et la peur.

La descente du fleuve se fit avec l'avantage de la marée et la *Galipette* déboucha rapidement sur la pleine mer. Les jours se suivirent, parfois trop chauds, parfois trop brumeux, parfois trop calmes. Ils ne virent pas de glace et, au bout de trente-deux jours, ils atteignirent le port de Brest, en France. Des centaines de mâts se dressaient dans le ciel de la baie, une véritable jungle de câbles et de haubans. L'équipage de la *Galipette* déchargea sa cargaison et le capitaine signa les nombreux papiers officiels. Puis, comme tous les marins du monde, ils passèrent plusieurs nuits à s'humecter la luette dans les bars enfumés du port.

Les équipiers de la *Galipette* mirent ensuite cap vers le nord, puis vers l'est en direction de Saint-Malo où ils devaient embarquer des victuailles, des cadeaux et des outils introuvables au Canada. C'est là aussi qu'ils durent mettre le bateau en cale sèche afin de procéder au calfatage de la coque, ce qui prit plusieurs semaines. De petites voies d'eau avaient été aperçues ici et là dans la cale et il fallait enrayer le processus.

Pendant ce temps, à l'île aux Coudres, Isabelle préparait la maison pour le retour d'Hector. Elle y installa de beaux rideaux de dentelle, des meubles solides et pratiques qu'elle polit à la cire d'abeille, des tapis moelleux et un grand lit douillet qui allait devenir le nid d'amour tant désiré. Bref, Isabelle s'occupait tant bien que mal dans l'attente de l'élu de son cœur. Mais ses soirées étaient tristes et ses nuits longues.

Dès la fin juillet, elle commença à faire des promenades quotidiennes jusqu'au bout de l'île, dans le vague espoir d'y apercevoir les grands mâts et les voiles gonflées par la brise.

Au début de septembre, la *Galipette* mit cap à l'ouest. Pour sa future épouse, Hector avait acheté des robes bordées de velours satiné, des colliers étincelants, des bracelets délicats, des meubles raffinés, de riches peintures italiennes. Il chérissait le jour où il pourrait se fondre, corps et âme, dans les bras réconfortants et voluptueux de sa bien-aimée, s'abandonnant à la promesse nuptiale.

À mi-chemin de la traversée océanique contre les vents prédominants, au milieu d'une nuit sans étoiles, un violent nordet éclata, sans avertissement, soulevant des vagues hautes comme des montagnes et abruptes comme les falaises de Québec. La *Galipette* fut aussitôt secouée dans tous les sens comme une frêle brindille. Ses voiles se déchirèrent en lambeaux, entraînant le mât de misaine qui se cassa en deux, défonçant le pont de tek et faisant éclater les planches du bordé.

L'eau noire et froide s'engouffra dans la cale. Ballottés dans tous les sens et perdant équilibre à chaque secousse, les marins tentèrent d'évacuer l'eau qui envahissait le navire, mais le foin entassé dans les cales pour nourrir les animaux de ferme à bord bloqua les pompes qui cessèrent aussitôt de fonctionner.

La mer finit par remplir le petit navire. La *Galipette* se coucha sur son bordé et sombra corps et biens en quelques minutes dans la mer tumultueuse.

Vers la fin de septembre, Isabelle était passée de l'inquiétude à l'angoisse. Chaque après-midi, qu'il vente ou qu'il pleuve, elle allait s'installer face à la mer, assise sur une grande pierre plate, scrutant l'horizon muet. Au crépuscule, elle retournait dans sa maison où son père, pour la consoler, lui expliquait qu'un voilier pouvait parfois être retardé par des vents contraires.

Après avoir assisté au passage des dernières outardes, la jeune fille se résigna à observer la mer de la fenêtre de sa chambre.

L'hiver fut un enfer de froid et de peine. Isabelle avait le visage ravagé par les larmes, elle toujours si souriante. Dès le printemps, elle passa tout son temps sur sa roche plate, pleurant et pleurant et pleurant sans jamais arriver au bout de ses larmes. Elle avait tant maigri que même son père avait peine à la reconnaître.

Un soir, Isabelle ne rentra pas à la maison. Les habitants de l'île partirent à sa recherche. L'île étant petite, ils en firent vite le tour sans retrouver la belle et triste fiancée d'Hector.

C'est alors que son père eut l'idée d'aller là où Isabelle passait toutes ses journées. Peut-être allait-il y trouver un indice sur la disparition de sa fille.

Traversant les buissons et les joncs qui bordaient la plage, il s'arrêta devant la pierre sur laquelle Isabelle avait coutume de s'asseoir dans la cruelle attente de son bien-aimé.

La pierre, blanche et douce comme un vallon de neige, était couronnée de fleurs sauvages bleues comme l'azur et jaunes comme le soleil sur un champ de blé blond.

Du milieu de la pierre s'échappait un mince filet d'eau pure comme une larme.

Le père d'Isabelle comprit que sa fille, changée en pierre, continue à pleurer son chagrin.

La Marguerite à Roberval

Conte inédit de Michel Savage
adapté de faits historiques, 2006

En avril 1542, Jean-François de La Rocque, sieur de Roberval, partit de La Rochelle en France pour aller fonder une colonie au Nouveau Monde, récemment découvert par Jacques Cartier. Muni d'une commission de lieutenant général du roi François Ier, il avait affrété trois navires et recruté deux cents hommes d'équipage dans les prisons de Bretagne, en plus des femmes et des ouvriers qui allaient s'y installer.

Il emmena avec lui sa jolie nièce, Marguerite de Roberval. Il prit bien soin de la tenir éloignée des marins bagnards qui la dévisageaient avec beaucoup de convoitise. La présence d'une femme à bord d'un bateau était cependant toujours redoutée par les marins superstitieux de l'époque.

Au moment du départ de La Rochelle, un homme pauvrement vêtu se présenta au bateau et offrit de se joindre à l'équipage pour la traversée. Il s'agissait de Néhémie, un cavalier de Picardie, descendant d'une famille noble mais ruinée.

Cet homme n'était pas là par hasard; il était l'amant secret de Marguerite. Mais Néhémie ne pouvait épouser sa bien-aimée, car bien que noble, il était pauvre. Des mois auparavant, en apprenant leur liaison, le sieur de Roberval avait piqué une colère terrible. Peut-être était-ce pour mettre fin à cette idylle insensée qu'il avait décidé d'emmener sa jeune nièce avec lui.

Néhémie s'était donc déguisé et fait engager sous un faux nom pour accompagner sa bien-aimée vers les lointaines terres vierges de l'Amérique.

Après une traversée interminable de l'Atlantique, les bateaux de Roberval arrivèrent dans les parages de Terre-Neuve, où ils croisèrent le vaisseau de Jacques Cartier qui retournait en France après un hiver passé chez les Amérindiens.

Une fois l'ancre jetée dans une baie protégée, Roberval et la plupart des hommes d'équipage se rendirent à terre. Profitant de leur absence, Néhémie se glissa aussitôt dans la couchette de sa bien-aimée. Durant le voyage, les amoureux n'avaient pu qu'échanger des regards furtifs, avides d'amour, et leur désir était devenu insoutenable.

Ils passèrent une nuit passionnée, torride, envoûtante, au point qu'ils en oublièrent l'heure. Au petit matin, Roberval revint à bord et surprit les amants enlacés. C'est alors qu'il découvrit la supercherie de Néhémie.

Il entra dans une fureur épouvantable et fit mettre le jeune amant aux fers. Puis il leva l'ancre et mit le cap sur une petite île déserte qui s'appelait l'île des Démons ou l'île de la Demoiselle.

Il mit une barque à l'eau, y déposa quelques vivres, des haches, des couteaux, des barils d'eau potable, des biscuits, de la farine, de la viande séchée, du lard, puis força Marguerite à y prendre place.

— Je te chasse pour toujours, tu as trompé ma confiance. Tu vivras seule jusqu'à ta mort et ne seras ainsi plus cause de scandale et de honte pour ma famille, lui dit-il.

Marguerite, en pleurs, commença à ramer vers le rivage rocheux de l'île.

Au moment même où Roberval donnait les ordres pour remettre le navire en marche, un homme plongea dans les eaux froides et nagea de toutes ses forces vers la barque qui s'éloignait. Ému par l'amour des deux amants désunis, un matelot au cœur tendre avait aidé Néhémie à se dégager de ses fers pour lui permettre de rejoindre sa bien-aimée.

— Bon débarras, se contenta de dire Roberval.

Les amoureux se retrouvèrent donc sur cette île déserte où le vent semblait gémir lorsqu'il soufflait du nord.

Pendant ce temps, Roberval poursuivit sa route et s'établit au Cap-Rouge. De là, il fit plusieurs expéditions dont celle de remonter le fleuve jusqu'à Hochelaga qui devint plus tard Montréal. L'hiver fut atroce. Il était difficile de combattre le froid, la mutinerie et la famine.

Il retourna en France l'année suivante et, n'ayant ni fondé une colonie ni trouvé de l'or, il fut totalement ruiné.

Néhémie et Marguerite survécurent péniblement pendant quelques mois. Ils avaient érigé un abri primitif et s'étaient nourris de la pêche. Un enfant naquit de leur union, mais la mort l'emporta peu après l'accouchement.

Puis ce fut le tour de Néhémie. Il était tombé à l'eau, avait pris froid et s'était mis à cracher du sang. L'amant venu de Picardie mourut, étouffé par ses propres crachats, sans avoir pu dire une dernière fois à sa belle combien il l'aimait. Ne pouvant creuser la terre gelée, Marguerite laissa les eaux du fleuve emporter le cadavre de son bien-aimé.

Marguerite survécut quelques années, seule sur cette île. Qu'elle ne fût pas devenue folle tenait du miracle. Un jour, un navire de pêche breton passa par là, rescapa la demoiselle et la ramena en France.

Le sieur de Roberval, l'oncle de Marguerite, subit un destin tragique. Il fut tué avec d'autres protestants dans une rue de Paris au début des guerres de religion.

Malgré leur histoire tragique, Marguerite et Néhémie représentent l'une des premières familles européennes à vivre sur le sol de la Nouvelle-France.

Le naufrage

Inspiré de la Commission de toponymie du Québec, 2006

La région de Kamouraska sent la mer. Lorsque la marée se retire, il est possible de marcher jusqu'à un archipel composé de petites îles recouvertes d'épinettes blanches et habitées par les hérons et les cormorans. Les Amérindiens appelaient cette région « Kamouraska » pour signifier « là où il y a des joncs au bord de l'eau ».

Dans la première moitié du XVIIIe siècle, plusieurs famines sévirent en Nouvelle-France, apportant avec elles toutes sortes de maladies contagieuses telles que la variole ou la picote. Lors de ces tristes périodes, la mort rôdait et l'incidence du brigandage et des pendaisons croissait.

En 1742, les chenilles vinrent dévaster toutes les récoltes des agriculteurs de la région. Une grave sécheresse détruisit tout ce qui avait résisté aux chenilles. Les animaux de ferme mouraient tous les uns après les autres, par manque de nourriture et d'eau. Les habitants étaient réduits à manger des patates, des bourgeons, de l'anguille qui se prenait dans les trappes au large du village et, selon certains, du cheval. On disait aussi qu'un croque-mort avait croqué les jambes d'un mort.

On avait payé des sourciers pour détecter des sources d'eau souterraine. On eut plusieurs faux espoirs, mais les sources étaient désespérément sèches. On avait même engagé secrètement des sorciers amérindiens pour faire la danse de la pluie, toujours sans succès.

Les gens se rendaient à l'église du village tous les matins et, exhortés par le curé, priaient avec ferveur. Mais ces rassemblements de gens mal en point contribuaient à la propagation des maladies. Les gens avaient le visage sombre, sans expression, et marchaient comme des zombies.

Malgré les prières et les magies des sourciers, la pluie ne venait pas. Le sol ressemblait à la croûte d'une plaie séchée. Les champs étaient lézardés et la végétation, jaunie et parsemée. Même les oiseaux avaient fui la région.

Un jour, Augustin Bayard, le curé du village, fit venir ses ouailles à l'église. Du haut de sa chaire, il proclama :

— Bien chers frères, si Dieu ne nous aide pas à surmonter ces épreuves, nous allons tous mourir. Cette malédiction nous a été envoyée par Dieu pour éprouver notre foi. Bien chers frères, nous devons tous partir et nous rendre à Sainte-Anne-de-Beaupré pour implorer notre sainte de nous apporter de la pluie et de guérir les maladies qui tuent nos pères et nos enfants.

Dans l'église il y eut peu de réaction car beaucoup de paroissiens, souffrant du typhus, étaient complètement amorphes. Mais ils savaient que c'était là leur dernier recours.

Le lendemain matin, les quarante-trois personnes encore en santé s'embarquèrent sur l'*Eurêka*, une goélette à fond plat qui permettait de s'échouer à marée basse. Ses deux mâts d'épinette étaient massifs et son beaupré – ce long bout qui pointe vers l'avant – tout aussi imposant. Puisque c'était un bateau de transport de marchandises, il n'y avait pas de cabine comme telle, juste un petit abri avec une couchette. L'*Eurêka* n'était pas jeune, mais c'était le seul bateau prêt à partir ce jour-là.

Au moment du départ, le vent était faible. Toutefois, la marée favorable permit au bateau de filer en amont vers Sainte-Anne, à environ deux cents kilomètres de l'autre côté du fleuve. Les voyageurs arrivèrent au lieu saint le lendemain matin. Ils se rendirent à l'église où ils prièrent pendant des heures, implorant la magie de leur culte afin de les sauver du typhus et de la famine.

Puis ils durent de nouveau tirer avantage de la marée et prirent la mer un peu avant le coucher d'un soleil jaune, annonciateur de mauvais temps. Le ciel se couvrit peu à peu et le vent fraîchit. Un noroît se préparait. Tant mieux, se dirent les voyageurs, car c'était un vent portant qui les ramènerait chez eux plus vite.

Mais le vent forcit et forcit et forcit. Il fallut baisser toutes les voiles sauf un petit foc en avant. La barre était très difficile à tenir et le bateau se cabrait chaque fois qu'une vague venait se fracasser contre sa poupe. Les passagers grelottaient de froid car les vagues, courtes et hautes, passaient par-dessus le franc-bord et les arrosaient de la tête aux pieds. On commença à pomper l'eau qui s'accumulait dans la cale.

Dans l'obscurité, le capitaine criait des ordres que personne ne comprenait. Les passagers se bousculaient en tentant de s'accrocher pour ne pas tomber à la mer. L'*Eurêka* roulait et tanguait avec violence et, à sec de toile ou presque, il risquait de chavirer à tout instant.

Les câbles des haubans claquaient contre les mâts. Les vagues déferlaient avec force contre la coque. Sur le pont glissant, les passagers s'agrippaient les uns aux autres et vomissaient.

Dans la pluie et dans le noir, le capitaine avait, sans le vouloir, passé les îles de Kamouraska. Il alla projeter l'*Eurêka* contre les roches d'un archipel plus loin en aval.

Le choc fut bref et la mort, rapide. À un moment, le bateau se cabra sur la crête d'une vague et, au moment suivant, il s'abattit contre le roc et se fracassa en mille fragments qui se mêlèrent au tumulte de la mer. Tous les passagers furent plongés dans l'eau glacée et tous périrent rapidement.

Les habitants du village en face de l'archipel trouvèrent les restes du naufrage et les cadavres qui flottaient parmi les algues, le regard vide tourné vers un ciel silencieux. Ils retrouvèrent tous les pèlerins, sauf le curé Augustin.

Au moment de la mise en terre des pèlerins, une pluie fine commença à tomber et continua ainsi pendant toute une semaine. Les sourires revinrent sur les visages. Les arbres et les herbes reprirent leur vigueur, les champs reverdirent.

On crut que la mort des pèlerins avait sauvé le village. Sainte Anne avait exaucé leurs prières en retour du sacrifice de leur vie.

Il paraît que certaines nuits, lorsque le ciel est couvert, on entend un curé psalmodier autour des îles de l'archipel des Pèlerins. C'est peut-être Augustin, le seul noyé dont on n'a jamais retrouvé le corps.

Le diable au bal

Adapté de « Le diable au bal »
Joseph-Fernand Morissette, 1883

Alexis Provost avait deux filles à marier, une blonde de vingt-quatre ans, Alice, et une brune de vingt et un ans, Arthémise. Homme peu instruit, il avait fait sa fortune dans le commerce du bois. Ses capacités commerciales surprenaient bien des gens. À partir d'un investissement modeste, il avait réussi à se créer une honnête aisance en travaillant avec constance et assiduité.

Les deux jeunes filles ne se ressemblaient en aucune manière. Alice avait la gaieté folle de sa mère, alors qu'Arthémise était réservée comme son père. Elles s'aimaient toutes deux bien cordialement et ne se disputaient jamais. Les désirs d'Alice étaient des ordres pour Arthémise qui obéissait aux moindres caprices de son aînée. Les deux filles étaient libres de leurs actions, car leur mère prétendait que la jeunesse devait s'amuser.

Alexis Provost fréquentait la meilleure société, et les occasions de sortie ne manquaient pas pour les deux jeunes filles. Un fameux bal fut organisé en l'honneur d'un visiteur de haut rang, sans doute un homme politique venu d'un pays lointain. Un grand nombre d'invitations furent lancées et Alexis Provost y fut invité avec son épouse et ses deux filles.

C'était l'occasion d'exhiber des filles à marier et l'on accepta l'invitation. Alice et Arthémise y rencontreraient des jeunes gens dignes de les épouser. Alors qu'Alice jubilait, Arthémise se révoltait à l'idée d'assister à ce bal, surtout dans la robe que la circonstance imposait. En effet, on avait spécifié sur les invitations que les dames devaient porter des robes décolletées à manches courtes. Or, à l'époque, soumises à l'autorité écrasante de l'Église, les femmes catholiques du Québec n'osaient même pas dévoiler la douce rondeur d'une épaule.

Bien que la presse de Montréal eût été unanime à condamner la conduite de celui qui avait dicté la toilette des dames, quelques femmes eurent le front d'exhiber leur poitrine devant le grand personnage en question. Au nombre de ces dernières se trouvaient madame Provost et ses deux filles. La robe d'Alice était tellement décolletée que même son père en fit la remarque, mais il était trop tard pour changer de toilette et elle se rendit au bal dans cet accoutrement.

Beaucoup d'invités étaient déjà arrivés lorsque la famille Provost fit son entrée. La bonne société se composait alors d'Anglais, d'Écossais et de quelques Canadiens, tous accompagnés de leurs épouses.

Le bal commença. Valses, quadrilles, polkas et mazurkas se succédaient à un rythme diabolique. Alice participait à toutes les danses. Elle eut même le bonheur de danser avec le grand personnage, Frank McArthur, officier de l'armée anglaise. Faisant partie des jeunes femmes qui se croient beaucoup plus élevées que leurs compagnes lorsqu'elles sont courtisées par des gens de la haute société, elle ne put s'empêcher de dire à l'officier anglais qu'elle était charmée de l'attention qu'il lui portait.

L'homme présenta alors à Alice un magnifique collier en or, premier gage de son amour, lui demandant de le porter immédiatement. La jeune femme accepta le cadeau et le mit sur-le-champ autour de son cou. Quelques instants plus tard, on les voyait valser tous deux. McArthur était un fameux danseur. Alice était fière d'être considérée par un si noble cavalier. Elle valsait, valsait toujours.

Le collier devait être en or massif, car il était bien lourd, trop lourd même, pensait Alice. Il lui semblait qu'il entrait dans sa chair, qu'il était de feu tant il lui brûlait la peau. Il était lourd, extraordinairement lourd.

Après la valse, indisposée, elle demanda à sa mère la permission de retourner à la maison immédiatement. Elle fut prête avant ses parents et se fit reconduire par son bel officier.

Au retour, Alexis Provost et son épouse parlèrent du succès d'Alice auprès de son nouveau prétendant. Ils grondèrent même Arthémise qui n'avait pas su s'attirer les avances des jeunes gens. Cette pauvre Arthémise avait passé la soirée dans un coin, seule, regardant les nombreux danseurs et danseuses qui passaient devant elle. À part la honte que lui faisait éprouver sa robe décolletée, elle se sentait le cœur triste. Il lui semblait qu'un malheur pesait sur sa famille.

Vivant près de l'hôtel où s'était donné le bal, ils arrivèrent bientôt à leur résidence. En entrant, un spectacle affreux se présenta à eux. Alice était étendue sur le plancher, morte, les yeux exorbités, les cheveux droits sur la tête, le corps complètement noir, comme carbonisé.

Le collier était entré dans la chair. Il n'était pas fait d'or mais de fer rougi. La maison tout entière était remplie d'une odeur de chair grillée.

Ils comprirent ce qui était arrivé à Alice : McArthur n'était autre que Satan, le roi de l'enfer. La jeune fille s'était donnée à lui; il avait emporté son âme et avait laissé son corps dans cet état pitoyable.

En voyant son enfant ainsi, Alexis Provost fut frappé d'apoplexie et mourut quelques jours plus tard. Madame Provost, atteinte d'aliénation mentale, ne retrouva jamais ses esprits. Quant à Arthémise, elle prit soin de la pauvre folle et fit le vœu de se faire religieuse, dès que son Dieu aurait mis fin aux souffrances de sa mère.

Le trésor diabolique

Inspiré de « Les trésors enfouis »
Marius Barbeau, 1920

Depuis quelques jours, un nordet cinglant soufflait sans répit, élevant le niveau d'eau du fleuve, inondant les plages et balayant même à la mer certaines bâtisses de séchage du poisson. C'était la première tempête de l'automne et elle était violente.

Le vent fouettait la pluie contre les fenêtres et les rafales se succédaient sans relâche. À Saint-Denis, on espérait que personne n'avait eu la mauvaise idée de prendre la mer.

À l'aube, le vent avait un peu faibli et la pluie s'était arrêtée. Toutefois, la mer était grosse, blanche de moutons qui dansaient sur l'eau grise. Sur la rive gisait l'épave d'une goélette, ventre en l'air, les mâts brisés, le corps éventré. Sur l'étrave du bateau de vingt mètres, on pouvait lire *Grosse Île*.

On examina l'épave et on n'aperçut aucun signe de vie. Le bateau était sans doute venu s'échouer après avoir brisé ses amarres, sans équipage, sans capitaine.

Pourtant, certains affirmèrent avoir vu la silhouette d'un marin emmitouflé dans un ciré noir, la tête cachée dans un suroît, qui s'éloignait du village contre le vent et la pluie, sur la route du bas du fleuve.

Après avoir inspecté le bateau échoué, le capitaine Mac Fouine, vieux pêcheur du coin, se souvint d'un détail étrange qui le poussa à retourner sur les lieux à la faveur de la pleine lune : la terre près de l'épave avait été récemment remuée. Le capitaine de la *Grosse Île* aurait-il enfoui un trésor après le naufrage ?

Mac se rendit donc à la nuit tombée près de la goélette fracassée. Armé d'une bonne pelle, il creusa, creusa et creusa. Il ne trouva rien. Il était pourtant convaincu qu'il y avait quelque chose, sinon, pourquoi aurait-on remué le sable ? Il fallait qu'il y ait quelque trésor caché.

La nuit suivante, une fois la lune bien haute dans le ciel, il voulut creuser de nouveau à l'insu de tous. Il aperçut la silhouette d'un homme qui s'élevait à côté de la goélette, justement là où il avait creusé la veille. Qui cela pouvait-il bien être ? L'intrigant personnage resta immobile toute la nuit, à garder un secret ou un trésor que Mac avait bien l'intention de découvrir.

La troisième nuit, Mac vit que l'homme avait disparu. Il se remit donc à creuser et creuser et creuser, puis, bingo ! Sa pelle fit un son clair comme si elle avait heurté un objet métallique. Le vieux pêcheur sourit.

Il continua de creuser fébrilement. Il distingua un coffre de bois de tek renforcé par des lattes de fer forgé, qui faisait environ un mètre de long par cinquante centimètres de large par un mètre de haut.
— Un trésor ! J'ai trouvé un trésor, s'écria-t-il.

Mac se pencha sur le trou. Le sable mouillé faisant un effet de succion, il eut toutes les peines du monde à extraire le coffre et à le déposer sur le sable. Il regarda autour de lui, méfiant, et ne vit personne sur la plage, pas même un goéland.

Curieusement, il n'y avait pas de cadenas ni de serrure. Juste un loquet qu'il s'agissait de glisser. Clic. Mac ouvrit le coffre, le cœur battant. Les rayons de lune illuminèrent l'intérieur du coffre. Mac s'attendait à y contempler des pièces d'or, des émeraudes, des colliers d'or massif, des perles, des rubis, de l'argent.

Amère déception : il n'y avait là que des piles de vaisselle ancienne. Que de la vaisselle…

Le cœur gros, il remit le coffre dans le trou qu'il recouvrit de sable. Il revint chez lui triste comme un croque-mort.

Plusieurs mois plus tard, on frappa à la porte de la maison du capitaine Mac Fouine. Un vieil homme, un mendiant sans doute, demandait l'hospitalité. Mac lui offrit de passer la nuit chez lui, content d'avoir un peu de compagnie, lui qui occupait ses soirées interminables en solitaire à regarder la mer avec nostalgie.

Le quêteux s'appelait Tancrède Guenillou. Il parlait peu mais le soir venu, à la lueur du feu de l'âtre, il amorça une bien étrange conversation.
— C'est bien ici que s'est échouée la *Grosse Île*? demanda-t-il à brûle-pourpoint.

Mac eut un petit moment de frayeur.

— Une belle goélette, qu'elle était, dit le mendiant. J'imagine que vous n'avez pas trouvé le trésor ?

Estomaqué, Mac s'assit devant le mendiant.
— Mais, quel trésor ? demanda-t-il, hésitant.

Le mendiant regarda dans les flammes. Ses yeux noirs brillaient comme les yeux d'un loup-garou.
— Il y a bel et bien un trésor de mille pièces d'or, des pièces de huit espagnoles. Ce trésor a été enfoui dès que la goélette a touché la grève.
— Mais, mais... je n'ai rien vu, pourtant, j'ai creusé, balbutia Mac.

Le mendiant tourna la tête vers Mac et poursuivit :
— Ah, je vois que vous ne savez pas... C'est que le capitaine de la goélette a tué son homme d'équipage d'un coup de couteau au moment du naufrage. Il fallait qu'un cadavre guette le trésor qu'il allait enfouir dans le sable.

Mac pensa alors à la silhouette qu'il avait vue la nuit, à côté de l'épave.
— Lorsqu'on trouve le trésor et qu'on ouvre le coffre, on n'y voit que de la vieille vaisselle. C'est le diable qui, dans la peau du cadavre du marin, fait ses magies et ses sorcelleries, continua le mendiant.
— Mais alors...
— Mais alors, on ne peut mettre la main sur le trésor que si l'on vend son âme au diable et que l'on dévore le cadavre du gardien du trésor, conclut le mendiant.

Le capitaine Mac Fouine était complètement assommé par ce qu'il venait d'entendre. Il partit se verser un gobelet de rhum. En revenant dans la pièce, il vit que le mendiant était sur le pas de la porte, prêt à partir.

— Et j'oubliais de vous dire : chaque fois que le coffre est déterré, il change de place. Adieu !

Le mendiant sortit et ne revint jamais.

Il ne restait plus aucune trace de la *Grosse Île*. Parfois, Mac se demandait s'il n'avait pas rêvé tout cela.

Un jour, lors d'une marée très basse, on découvrit sur la grève, près de la maison du capitaine, les os blanchis d'une main qui sortait du sable. C'était probablement celle du cadavre du marin qu'on avait enterré pour garder le trésor.

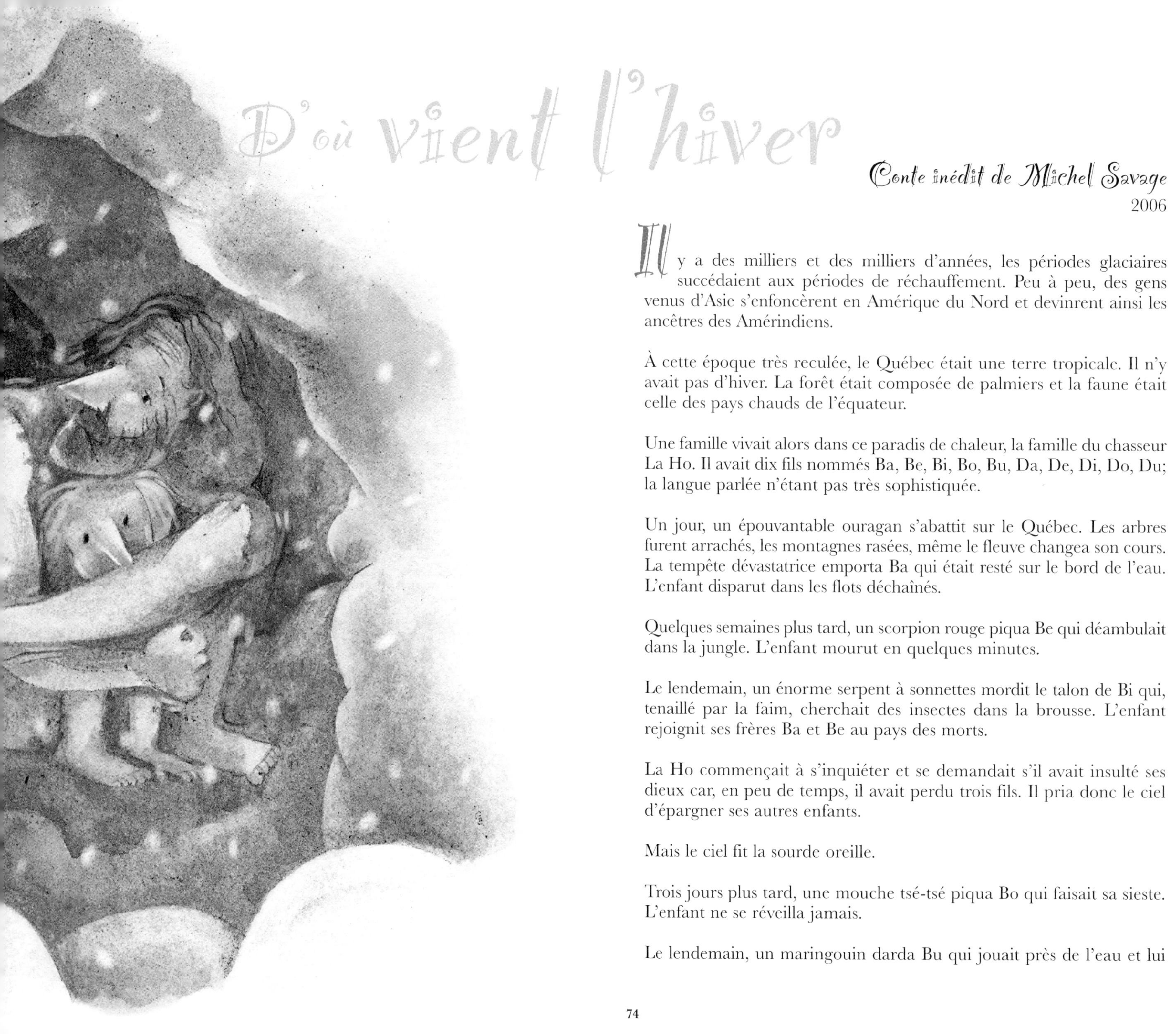

D'où vient l'hiver

Conte inédit de Michel Savage
2006

Il y a des milliers et des milliers d'années, les périodes glaciaires succédaient aux périodes de réchauffement. Peu à peu, des gens venus d'Asie s'enfoncèrent en Amérique du Nord et devinrent ainsi les ancêtres des Amérindiens.

À cette époque très reculée, le Québec était une terre tropicale. Il n'y avait pas d'hiver. La forêt était composée de palmiers et la faune était celle des pays chauds de l'équateur.

Une famille vivait alors dans ce paradis de chaleur, la famille du chasseur La Ho. Il avait dix fils nommés Ba, Be, Bi, Bo, Bu, Da, De, Di, Do, Du; la langue parlée n'étant pas très sophistiquée.

Un jour, un épouvantable ouragan s'abattit sur le Québec. Les arbres furent arrachés, les montagnes rasées, même le fleuve changea son cours. La tempête dévastatrice emporta Ba qui était resté sur le bord de l'eau. L'enfant disparut dans les flots déchaînés.

Quelques semaines plus tard, un scorpion rouge piqua Be qui déambulait dans la jungle. L'enfant mourut en quelques minutes.

Le lendemain, un énorme serpent à sonnettes mordit le talon de Bi qui, tenaillé par la faim, cherchait des insectes dans la brousse. L'enfant rejoignit ses frères Ba et Be au pays des morts.

La Ho commençait à s'inquiéter et se demandait s'il avait insulté ses dieux car, en peu de temps, il avait perdu trois fils. Il pria donc le ciel d'épargner ses autres enfants.

Mais le ciel fit la sourde oreille.

Trois jours plus tard, une mouche tsé-tsé piqua Bo qui faisait sa sieste. L'enfant ne se réveilla jamais.

Le lendemain, un maringouin darda Bu qui jouait près de l'eau et lui transmit la malaria. Fiévreux et grelottant sans cesse durant des jours, l'enfant ne survécut pas.

Puis ce fut le tour de Da. Un après-midi, des hyènes malveillantes encerclèrent Da qui s'était éloigné du refuge, se jetèrent sur lui et le déchiquetèrent sans merci. Comme Ba, Be, Bi, Bo et Bu, l'enfant quitta la terre des humains.

Le même jour, une colonie de fourmis géantes dévora De qui s'était assoupi à l'ombre d'un arbre. L'enfant disparut du monde des vivants.

Une veuve noire, une petite araignée dont la morsure ne pardonne pas, s'en prit à Di qui, en cueillant des baies, avait déchiré sa toile. L'enfant tomba raide mort, les mains rouges de petits fruits écrasés.

Pour ajouter une ombre à ce tableau déjà macabre, des piranhas qui fourmillaient dans le fleuve s'attaquèrent à Do qui s'y baignait. Do avait une blessure à la cheville. Attirés par l'odeur du sang, les piranhas avaient fondu sur lui par milliers, chacun grugeant un petit morceau de peau. L'enfant n'eut même pas le temps de se noyer. Son squelette complètement nettoyé de chair sombra au fond de l'eau.

C'est alors que l'infortuné La Ho fit un grand feu et implora ses dieux d'épargner Du, l'unique enfant qui lui restait. Dans sa langue primitive, il dit quelque chose comme ceci :

— Oh dieux du ciel et de la terre, épargnez mon dernier fils. Faites qu'il n'y ait plus dans mon pays toutes ces menaces et tous ces dangers qui ont enlevé la vie à mes enfants.

Cette fois, les dieux lui répondirent.

— Très bien, nous ferons en sorte qu'il n'y ait plus d'ouragans, de scorpions, d'araignées, de poissons féroces, de moustiques qui rendent malade, de hyènes, de fourmis voraces et de serpents hypocrites. Mais pour cela, tu devras en payer le prix.

Soudain, les palmiers se transformèrent en bouleaux, en érables et en sapins. L'eau du fleuve passa du turquoise au gris. Les bêtes tropicales se métamorphosèrent en ours, en marmottes et en renards. Puis une grande fraîcheur dissipa la chaleur étouffante de la jungle.

Peu à peu, les feuilles des arbres virèrent au jaune et au rouge, puis elles tombèrent toutes sur le sol. Seuls les conifères gardèrent leurs épines.

Un vent glacial souffla sur la nature et La Ho se mit à grelotter.

Des cristaux blancs commencèrent à tomber du ciel et ensevelirent les forêts et les montagnes. Même l'eau du fleuve et des lacs se solidifia, comme pétrifiée par quelque maléfice.

La Ho courut vers son refuge, claquant des dents. Le vent glacial transperçait sa peau. Il emmitoufla son fils du mieux qu'il put. Voyant des bêtes à fourrure qui ne semblaient pas souffrir du froid, il comprit que pour se réchauffer il lui fallait davantage de poils sur le corps. Alors il se mit à chasser et confectionna des vêtements en peau d'ours et de renard pour son fils et lui. Il alimenta également un feu en permanence dans son refuge.

Et pendant des lunes et des lunes, il affronta chaque jour les caprices de la nature, en quête d'une nourriture qui se faisait de plus en plus rare. Mais il était heureux, car les dieux avaient entendu sa prière : son fils Du était vivant.

Un jour, La Ho rencontra un chasseur qui lui demanda :
— Quel est le nom de ton pays ?

La Ho répondit :
— Mon pays n'a pas de nom. Mon pays, ce n'est pas un pays, c'est l'hiver.

La mort du père

Adapté de « Un vieux »
Sylva Clapin, 1900

L'habitation de Xavier Patenaude faisait face au Grand-Rang, près de Sainte-Madeleine, et sa terre était l'une des mieux tenues de la paroisse.

Lampe à la main, l'homme entra dans sa chambre où sa femme dormait encore et, s'approchant du lit, il lui souffla à voix basse :
— Mélie, réveille-toi. Le père est finalement mort.

La femme se redressa, les traits bouffis de sommeil, l'air dubitatif.
— Je te le dis, viens voir par toi-même.

Mélie bondit du lit et suivit son homme qui se dirigeait vers la chambre adjacente.

Xavier avait raison. Le vieux père Patenaude, qui aurait fêté ses quatre-vingt-deux ans à Pâques, était bien trépassé. Le vieillard était allongé, tout rigide, sur son immense lit de merisier rouge qui occupait la moitié de la pièce. Son visage paisible aux yeux mi-clos témoignait d'une mort douce et naturelle.

Xavier éclaira le visage de son père à la lueur de sa lampe, puis il dit à sa femme :
— Le pauvre vieux a dû trépasser sur les minuit. Je vais soigner les animaux et toi, pendant ce temps-là, tu prépareras tout ce qu'il faut.

Mélie approuva de la tête, ses yeux obstinément rivés sur le visage du mort. Xavier poursuivit :
— Et puis, demain c'est Noël, sans compter tous les gens qui viendront ce soir pour veiller le vieux père. Il en faudra des choses pour faire réveillonner tout ce monde-là. C'est une grosse dépense mais, comme on dit, on ne meurt qu'une fois.

Mélie acquiesçait toujours en silence, tout en rabattant le drap sur la tête du mort. Le couple se rendit ensuite dans la cuisine où l'horloge venait de sonner cinq heures.
— C'est bien vrai, on ne meurt qu'une fois. Tout de même, comme tu dis, ça va coûter cher, dit Mélie.

Xavier sortit dans la nuit toute scintillante d'étoiles. Il se dirigea vers les bâtiments où déjà des meuglements sourds se faisaient entendre.

Mélie – une brune commère toute en boule aux yeux perçants de furet – fut soulagée d'entendre la nouvelle de la mort du vieux père. Depuis dix-sept ans, le vieux vivait à sa charge, occupant sans vergogne la plus belle chambre de la maison.

Trois jours auparavant, il s'était couché en disant qu'il n'en avait plus que pour deux heures sur terre. Mélie entrait le voir à tout moment, s'attendant à le trouver mort. Mais la vie s'acharnait sur le vieillard et ne le lâcha que ce matin-là. Tout était enfin, et heureusement, fini.

Tout en monologuant de contentement, Mélie vaquait à ses travaux ménagers. Elle avait hâte de se mettre à sa tâche annuelle du temps des Fêtes : la confection de ses fameux beignes dont tout le monde raffolait.

Le jour se leva peu à peu. Une resplendissante matinée d'hiver s'annonçait. Dans la lumière étincelante, le mont Saint-Hilaire se dressait comme un énorme bloc de granit bleu, aux arêtes bien définies.

Sitôt son travail fini, Xavier partit annoncer aux voisins la nouvelle de la mort du père. Cela fait, il attela son vieux cheval César et se rendit jusqu'à Saint-Hyacinthe pour y faire ses achats de Noël.

Jusqu'au soir, les gens de la paroisse défilèrent chez les Patenaude pour rendre une dernière visite au patriarche. En entrant, chacun allait s'agenouiller dans la chambre où était exposé le vieil homme, vêtu de ses beaux habits du dimanche, qui était juché sur son lit monumental comme sur un catafalque. De part et d'autre du défunt brûlaient deux cierges bénits dans de grands chandeliers de cuivre doré.

Xavier revint de la ville à la brunante, rapportant du whisky blanc pour les hommes, alors que Mélie alla chercher deux flacons de liqueur de cerises pour les dames. Dans un coin de la pièce s'étageaient des pyramides de beignes, où chacun se servait à volonté.

La cuisine s'animait au rythme des conversations qui tournaient inévitablement à la politique. La fumée des pipes devint si suffocante que l'on ouvrit la porte pour se donner un peu d'air respirable.

Dehors, la température chutait rapidement et les étoiles étincelaient tels des diamants dans le ciel. Une belle nuit de Noël s'amorçait.

À dix heures, tout le Grand-Rang était chez Xavier. Des familles entières venaient rendre leurs derniers hommages au défunt avant d'aller à la messe de minuit.

Peu après, le nombre de visiteurs diminua. On récita encore un chapelet près du corps, puis, voyant qu'il ne venait plus personne, Mélie alluma de nouveaux cierges pour la nuit et ferma la porte de la chambre mortuaire. Le lendemain, on devait porter le vieux au cimetière.

Vers les onze heures, quelqu'un cria :
— Les clairons !

Tous sortirent de la maison et levèrent les yeux vers le firmament où miroitait, dans le bleu profond de la nuit, une splendide aurore boréale. On s'extasia. Jean Belhumeur, ami intime du défunt, affirma que c'étaient là les âmes des élus qui accouraient célébrer la Noël. Les « clairons » grandissaient à vue d'œil, couvrant tout le ciel jusqu'au zénith, fourmillant de lueurs vertes, jaunes ou rouges, se poursuivant et folâtrant sans relâche.

L'heure avançait et on devait songer à prendre la route pour ne pas rater la messe de minuit. Tandis que chacun s'affairait à préparer son cheval et sa carriole, des choses étranges se déroulaient dans la maison.

Les visiteurs virent des ombres courant çà et là derrière les fenêtres, gesticulant et poussant de grands cris. La porte s'ouvrit brutalement et Mélie déboula, battant l'air de ses bras, et n'ayant que la force de balbutier :
— Le père ! Mon Dieu ! Le père Patenaude !

Les visiteurs accoururent mais s'arrêtèrent net sur le seuil. Dans la salle d'entrée, le père Patenaude venait d'apparaître, élégamment vêtu de ses vêtements du dimanche, le teint frais et reposé. Il se dirigea vers la cuisine où se tenait Xavier, absolument médusé et l'œil tout rond d'épouvante. Quelques femmes se pressèrent les unes contre les autres et faillirent s'évanouir lorsque le revenant, s'adressant à son fils, lui dit d'une voix claire et autoritaire :
— Eh ben ! Xavier, qu'attends-tu pour atteler César pour la messe ?

Puis, remarquant les beignes sur la table, le vieux se rappela qu'il n'avait pas mangé depuis longtemps et en grignota deux ou trois, tout en lampant avec une évidente satisfaction un brin de whisky resté au fond d'un verre.

Mélie jura entre ses dents. Le vieux avait décidément la peau dure.

Le médecin de Sainte-Madeleine expliqua plus tard que le père Patenaude avait eu une syncope, avec tous les symptômes de mort apparente, et alors qu'on le croyait bien fini, il ne faisait qu'emmagasiner de nouvelles énergies pour durer encore plus longtemps.

Il le prouva bien, du reste, car il ne mourut que l'été suivant, aux framboises, en aidant Xavier à rentrer ses foins, alors que Mélie était emportée dès la fin du même hiver par une pneumonie aiguë.

Les rats fous

Inspiré de « L'homme du Labrador »
Philippe-Aubert de Gaspé, fils, 1908

Bras-de-fer était un bagarreur et un ivrogne qui jurait tout le temps. Il avait gaspillé tout l'héritage que lui avaient légué ses parents. Il ne ratait jamais une occasion de ridiculiser ceux qui allaient à l'église et les traitait volontiers de grugeurs de prie-dieu. Il ne croyait ni à Dieu ni au Diable. Il n'avait foi qu'en ses poings et qu'en la dive bouteille.

Un jour, il se joignit à l'équipage d'un bateau de pêche qui se rendait jusqu'au Labrador. *La Bichette* ne faisait que douze mètres de long et trois mètres de large. Dans les grosses mers d'automne, le bateau à deux mâts se faisait brasser comme une souris entre les pattes d'un matou.

Au large des côtes, le pauvre Bras-de-fer n'en menait pas large. Accablé par un mal de mer qui le déshydratait complètement, il était incapable de participer aux travaux de la pêche. Il passait tout son temps couché dans son hamac ou suspendu au-dessus du bastingage à vider son estomac déjà vide.

Après des semaines de mal de mer, Bras-de-fer vit qu'il n'avait pas l'étoffe d'un marin. Il jura que jamais plus il ne mettrait les pieds sur un bateau, même pas sur une traverse de ruisseau.

Après avoir accosté au Poste du Diable, le capitaine nomma Bras-de-fer responsable du poste. Personne ne voulait exercer cette fonction, à cause de la réputation douteuse du lieu – on racontait des histoires bizarres à son propos. C'est pourquoi on tirait souvent au sort pour déterminer qui allait faire le travail et devoir ainsi se nourrir de poisson et de gibier pendant six mois.

Mais Bras-de-fer, qui voulait débarquer à tout prix, accepta volontiers cette affectation sur la terre ferme. Il s'installa donc dans la cabane avec deux gros chiens spécialisés dans la chasse à l'ours.

Le premier soir, content de pouvoir enfin ingurgiter quelque chose qu'il n'allait pas vomir, il vida sec deux grosses cruches de rhum et sombra dans un coma éthylique dans le plus éloigné des douze lits de la cabane.

Bien que ce fût la nuit, la pleine lune éclairait le paysage comme en plein jour. Les fenêtres de la cabane jetaient des rayons de lumière argentée sur le bois rude du plancher. Bras-de-fer et ses chiens ronflaient à l'unisson, chacun dans son lit, tandis que les bûches crépitaient dans l'âtre.

Un hurlement à réveiller les morts tira brusquement Bras-de-fer de son sommeil embrumé d'ivrogne. Il se redressa sur son lit, encore chancelant d'alcool, et vit par la fenêtre la silhouette d'un homme affublé d'un grand chapeau noir qui s'approchait de la cabane.

Le hurlement effraya même les chiens qui bondirent de leur lit et sautèrent sur celui de Bras-de-fer. Tous trois se cachèrent aussitôt sous les couvertures, ne laissant entrouverte qu'une étroite fente pour voir les choses arriver. Il n'y avait rien d'autre à faire. Les chiens claquaient des crocs et Bras-de-fer était trop ivre pour affronter qui – ou quoi – que ce fût.

Comme par enchantement, des centaines de rats apparurent dans la cabane, courant dans toutes les directions, s'agrippant hargneusement aux couvertures, grimpant à toute vitesse le long des murs et de la cheminée, grognant et griffant à tous vents, le dos arqué, les oreilles en arrière.

Sous la mince protection des couvertures, Bras-de-fer tremblait et haletait autant que ses chiens. Curieusement – et fort heureusement – aucun rat ne s'approcha de leur lit.

Malgré le bruit étourdissant des rongeurs en folie, Bras-de-fer entendit la porte de la cabane s'ouvrir en grinçant. La lumière de la lune éclairait maintenant toute la pièce. Les rats arrêtèrent leurs ébats effrénés et se tournèrent tous en même temps vers la porte.

L'homme au chapeau entra et s'immobilisa un instant. Après avoir survolé les lieux du regard, il avança tranquillement dans la pièce qui fourmillait de gros rats noirs aux yeux incandescents.

L'homme s'approcha du feu de l'âtre qui aussitôt s'éteignit sans faire de fumée.

Puis l'homme se mit à fouiller les lits, systématiquement, l'un après l'autre. Les rats déguerpissaient à son passage, s'éjectant comme des bouchons de champagne.

Bras-de-fer, qui avait plutôt le bras en guenilles, avait maintenant la certitude que l'homme le cherchait.

L'homme était rendu au onzième lit et Bras-de-fer n'avait plus de recours que la prière, lui qui n'avait jamais prié de sa vie. Il mit donc son âme entre les mains de sainte Anne.

Ne sachant comment prier, il dit simplement :
— Sainte Anne, au secours, au secours, au secours. Si tu fais sortir les rats et le monstre, je jure que je vais te vénérer jusqu'à ma mort.

Au moment même où il prononça les mots de sa prière désespérée, il vit l'homme et les rats se dématérialiser et glisser comme des nuages vers la porte pour aller sombrer mystérieusement dans les eaux du fleuve.

La porte de la cabane se referma doucement et Bras-de-fer continua à trembler toute la nuit entre ses chiens. Le lendemain matin, le soleil avait chassé le brouillard et la journée s'annonçait fraîche et sans nuages.

Bras-de-fer finit par sortir de sa cachette et, avec ses chiens, il fit le tour de la cabane pour s'assurer qu'il n'y avait rien de suspect. Satisfait, il se tourna vers le ciel et, en joignant les mains, il remercia sainte Anne.

Depuis ce jour, jamais plus Bras-de-fer n'osa ridiculiser ceux qui croient en l'au-delà.

La punition de l'avare

Adapté de « La punition de l'avare »
Honoré Beaugrand, 1900

Il y a de cela cent soixante-dix ans, Batinsse Vinyenne était parti de grand matin pour Montréal, afin d'y acheter divers objets pour la famille; entre autres, une magnifique dame-jeanne de rhum de la Jamaïque, indispensable pour traiter dignement les amis à l'occasion du nouvel An.

À trois heures de l'après-midi, il avait fini ses achats et se préparait à reprendre la route vers Lanoraie. Il avait fait bonne route et, à cinq heures et demie, il était à la traverse du bout de l'île. Mais le ciel s'était couvert peu à peu et tout laissait présager une forte bordée de neige. Il s'engagea donc sur la traverse et, avant même d'atteindre Repentigny, la neige de gros flocons se transforma en poudrerie aveuglante. Il ne voyait ni ciel ni terre et pouvait à peine suivre le chemin du Roy devant lui, les balises marquant le tracé du chemin n'ayant pas encore été posées.

À la brunante, il passa l'église Saint-Sulpice et bientôt la poudrerie et la noirceur l'empêchèrent d'avancer. Il ne savait plus où il était – probablement aux environs de la ferme du père Robillard. Il attacha son cheval à un pieu de la clôture du chemin et chercha, à l'aventure, une maison pour s'y abriter. Il erra, désespéré, puis il aperçut sur la gauche de la grande route une masure à demi ensevelie sous la neige. Il ne se rappelait pas l'avoir déjà vue.

Il se dirigea donc avec peine, se frayant un passage dans les bancs de neige, vers cette maison qu'il croyait abandonnée.

Mais il aperçut par la fenêtre la lueur rougeâtre d'un bon feu de bois franc qui brûlait dans l'âtre. Il frappa et entendit aussitôt les pas d'une personne qui s'avançait pour lui ouvrir.

Il entendit :
— Qui est là ?

Il répondit en grelottant qu'il avait perdu sa route.

La porte ne s'ouvrit qu'à moitié pour empêcher le froid de pénétrer à l'intérieur. Batinsse entra en secouant ses vêtements couverts d'une couche épaisse de neige.
— Soyez le bienvenu, dit l'hôte de la masure, un grand vieillard aux épaules voûtées, en lui tendant une main brûlante et en l'aidant à se débarrasser de sa ceinture fléchée et de son capot d'étoffe du pays.

Batinsse expliqua la cause de sa visite et, après avoir remercié l'hôte de son accueil bienveillant et accepté un réconfortant verre d'eau-de-vie, il s'assit sur une chaise boiteuse au coin du foyer.

L'hôte sortit chercher le cheval et la voiture pour les remiser à l'abri de la tempête. Pendant ce temps, Batinsse jeta un regard intrigué sur l'ameublement original de la pièce.

Dans un coin, un misérable banc-lit sur lequel était étendue une peau de buffle devait servir de couche à son hôte. Un ancien fusil datant de la domination française était accroché aux soliveaux en bois brut qui soutenaient le toit en chaume de la maison. Plusieurs têtes de chevreuils, d'ours et d'orignaux étaient suspendues aux murs blanchis à la chaux. Près du foyer, une bûche de chêne solitaire semblait être le seul siège vacant que le maître de céans eût à offrir à un quelconque visiteur.

Batinsse se demanda qui pouvait bien être cet homme qui vivait ainsi en sauvage en pleine paroisse de Saint-Sulpice, sans qu'il n'en ait jamais entendu parler.

L'hôte rentra et prit place juste en face de Batinsse qui lui dit :
— Grand merci de vos bons soins, mais à qui dois-je une hospitalité aussi franche ? Moi qui connais la paroisse de Saint-Sulpice comme le fond de ma poche, j'ignorais qu'il y eût une maison ici.

Les yeux de l'hôte lançaient des rayons étranges. Batinsse recula instinctivement son siège sous le regard pénétrant du vieillard qui le regardait en face mais qui ne lui répondait pas.

Le silence devenait énervant et le maître de céans le fixait toujours de ses yeux brillants comme les tisons du foyer. Batinsse commençait à avoir peur. Rassemblant tout son courage, il lui demanda de nouveau son nom. Cette fois, l'hôte quitta son siège.

L'hôte s'approcha à pas lents et, posant sa main osseuse sur l'épaule tremblante de Batinsse, dit d'une voix triste comme le vent qui gémissait dans la cheminée :

— Jeune homme, tu n'as pas encore vingt ans et tu demandes comment il se fait que tu ne connaisses pas Jean-Pierre Beaudry, jadis le richard du village. Je vais te le dire, car ta visite ce soir me sauve des flammes du purgatoire où je brûle depuis cinquante ans, sans avoir jamais pu jusqu'à aujourd'hui remplir la pénitence que Dieu m'avait imposée. Je suis celui qui, jadis, par un temps comme celui-ci, avait refusé d'ouvrir sa porte à un voyageur épuisé par le froid, la faim et la fatigue.

Les cheveux de Batinsse se hérissèrent, ses genoux s'entrechoquèrent et il se mit à trembler comme la feuille du peuplier pendant les fortes brises du nord. Mais le vieillard, sans faire attention à sa frayeur, continua d'une voix lente :

— Il y a de cela cinquante ans, j'étais riche et je demeurais dans la maison où je te reçois ce soir. À la veille du jour de l'An, comme aujourd'hui, seul près de mon foyer, je jouissais du bien-être d'un abri contre la tempête et d'un bon feu qui me protégeait contre un froid à faire éclater les murs de pierre de ma maison.

On frappa à ma porte, mais j'hésitais à ouvrir. Je craignais que ce fût quelque voleur qui, sachant mes richesses, ne vint pour me piller, et qui sait, peut-être m'assassiner. Je fis la sourde oreille et, peu à peu, les coups faiblirent et se turent. Je m'endormis pour ne me réveiller que le lendemain au grand jour, au bruit infernal de deux hommes du voisinage qui ébranlaient ma porte à grands coups de pied. Je me levai pour les châtier de leur impudence quand j'aperçus, en ouvrant la porte, le corps inanimé d'un jeune homme mort de froid et de misère sur le seuil.

Le vieil homme au corps cadavérique se tourna vers les flammes dans l'âtre et poursuivit son histoire.

— J'avais, par amour pour mon or, laissé mourir un homme qui frappait à ma porte et j'étais presque un assassin. Je devins fou de repentir. Après avoir fait chanter un service solennel pour le repos de l'âme du malheureux, je divisai ma fortune entre les pauvres des environs, en priant Dieu d'accepter ce sacrifice en expiation du crime que j'avais commis.

Deux ans plus tard, je fus brûlé vif dans ma maison et je dus aller rendre compte à mon créateur de ma conduite sur cette terre que j'avais quittée d'une manière si tragique. Je fus condamné à revenir à la veille de chaque nouveau jour de l'An, attendre ici qu'un voyageur vînt frapper à ma porte, afin que je puisse lui donner cette hospitalité que j'avais refusée de mon vivant à l'un de mes semblables. Pendant cinquante hivers, je suis venu passer ici la nuit du dernier jour de chaque année, sans que jamais un voyageur en détresse ne s'arrête. Tu es enfin venu ce soir et Dieu m'a pardonné. Sois à jamais béni de m'avoir délivré des flammes du purgatoire.

Le revenant parlait encore quand, succombant aux émotions terribles de frayeur et d'étonnement qui l'agitaient, Batinsse perdit connaissance.

Il se réveilla dans sa voiture, sur le chemin du Roy, en face de l'église de Lavaltrie. La tempête s'était apaisée et il avait sans doute repris la route de Lanoraie sous la direction de son hôte de l'autre monde.

Depuis, Batinsse Vinyenne ne refusa jamais d'aider qui que ce fût, de peur de devenir un revenant.

Le Cas de Méphistine

Conte inédit de Michel Savage
2006

C'était à la brunante, cette période de transition qui marque l'heure du réveil des animaux nocturnes et l'heure du coucher des animaux diurnes. Ce soir-là, les représentants de chaque espèce de mammifères sauvages s'étaient donné rendez-vous dans une forêt discrète près de La Tuque pour décider du sort de l'un d'entre eux.

Méphistine avait en effet déposé une plainte officielle auprès de Loup, le président du Comité naturel des mammifères sauvages du Québec.

Dans la clairière entourée de grands sapins, les congressistes arrivèrent en s'échangeant les potins habituels. Ils formèrent un cercle autour de Loup et de Méphistine. Une fois tout ce beau monde arrivé, Loup s'adressa solennellement à l'assemblée.

— Au nom du Comité naturel, je déclare ce congrès ouvert. À l'ordre du jour, nous avons une requête formulée par l'un de nos membres. Je donne donc la parole à la plaignante.

Méphistine faisait pitié. Elle était une bête grasse à la chair molle, courte sur pattes, dotée d'une fourrure dure comme le crin. Timidement, elle fit connaître ses doléances.

— Ben voilà, je… heu… tout le monde me prend à partie dans la forêt, car je n'ai hérité d'aucun moyen de défense. Personne ne me respecte et personne ne m'aime. Mes crocs sont petits, mes griffes sont émoussées; je suis lente, faible, et en plus, à cause de mes rayures blanches sur fond noir, je ne peux même pas me cacher. Je demande donc officiellement que l'on me fournisse un moyen de me protéger afin d'assurer ma survie.

Il y eut un silence dans l'assemblée. Puis Raton Laveur parla.

— Si on lui donnait mon intelligence ratoureuse et mon talent de grimpeur ?

Loup proposa que Méphistine accepte de vivre en bande, selon une hiérarchie sociale bien structurée, pour pouvoir se défendre et être défendue. « L'union fait la force », dit-il.

Lynx et Belette firent état de leur agilité exceptionnelle. Belette ajouta qu'elle pouvait combattre des proies dix fois plus grosses qu'elle. Mais le corps ingrat de Méphistine n'était manifestement pas taillé pour la souplesse.

Lièvre et Chevreuil unirent leurs voix pour suggérer la vitesse, mais les pattes de Méphistine étaient trop courtes pour faire de la fuite une solution.

Marmotte et Tamia Rayé proposèrent que Méphistine creuse de profonds tunnels dans le sol pour s'y cacher, mais Méphistine était bien trop paresseuse.

Loutre suggéra la natation pour se soustraire aux prédateurs, mais comment voulez-vous nager avec des pattes de fouineur ?

Castor parla de son talent de constructeur de barrages, mais Méphistine n'était pas assez habile.

Carcajou proposa que l'on attribue à Méphistine son caractère hargneux, voire violent, mais Méphistine ne connaissait ni la colère ni l'agressivité.

Porc-Épic, lui aussi peu intelligent, lent et lourdaud, suggéra que l'on recouvre Méphistine d'épines pointues, mais Méphistine était si maladroite qu'elle risquait de se piquer elle-même.

— Si elle avait des ailes, elle pourrait voler et s'enfuir par les airs, dit Chauve-Souris.

— Ouais, comme moi, ajouta Écureuil Volant.

— Toi, tu ne voles pas, tu planes ! Je suis la seule à voler ici, précisa Chauve-Souris.

Mais Méphistine n'avait pas les muscles assez forts pour le vol, même plané.

— Si elle possédait une ouie très fine, elle pourrait détecter les bruits des prédateurs ou des proies, affirma Lièvre.

Mais Méphistine n'avait que de petites oreilles de rien du tout.
— Ou une vue perçante, dit Hibou, un non-membre qui passait par là.

Mais Méphistine n'avait que de petits yeux noirs de rien du tout.
— Et si on lui donnait des écailles pour se protéger, suggéra Coyote, récemment émigré de l'ouest américain.

Tous s'esclaffèrent. « Nous sommes des mammifères. Méphistine marche comme une tortue, je sais bien, mais elle n'est ni un reptile, ni un poisson », dit Loup.

Finalement, Ours, de sa voix imposante, se vanta de sa masse, de sa force, de ses griffes et de son appétit. Ours se vantait toujours dès qu'il était en présence de ses collègues.

Il fallut se rendre à l'évidence : le Créateur avait oublié Méphistine : elle n'avait ni intelligence, ni beauté, ni force, ni vitesse.

Les membres de l'assemblée étaient sans idées. Leur queue valsait impatiemment car pour plusieurs d'entre eux, la nuit de travail allait commencer. Il fallait donc trouver une solution.

À ce moment précis, Ours lâcha un pet qui fit trembler la terre. Un pet d'Ours, ce n'est pas de la petite bière. Ours s'était gavé tout l'été comme Bacchus, en vue d'accumuler des réserves pour son Grand sommeil.

Les membres de l'assemblée enfouirent leurs naseaux dans la terre humide. Dans les alentours, les insectes, les oiseaux et les couleuvres s'enfuirent à toute épouvante. Un pet d'Ours, c'est une calamité, une véritable catastrophe olfactive.

Peu à peu, l'indescriptible puanteur se dissipa.

De longues minutes passèrent. Tous recommencèrent à respirer. Raton Laveur, reconnu pour son ingéniosité machiavélique, prit alors la parole.

— Nous avons résolu le problème de Méphistine, dit-il, son visage de bandit masqué rayonnant de fierté.

Tous se tournèrent vers sieur Laveur qui expliqua :
— Nous donnerons à Méphistine la capacité de puer tellement qu'elle pourrait faire fuir tout assaillant, et ce, à volonté.

Ce n'était pas une mauvaise idée. Après tout, Méphistine n'était pas une belle bête et n'avait personne à séduire. On adopta unanimement cette résolution.

Les mammifères firent alors des incantations magiques, sollicitant leurs dieux d'accorder à Méphistine ce don spécifique.

Un orage effrayant se déclencha. Des éclairs aveuglants illuminèrent la nuit. Un vent déchaîné fit tourbillonner les feuilles mortes qui jonchaient le sol. Puis ce fut le silence. Tous regardèrent Méphistine au centre du cercle. Rien ne semblait avoir changé.

Alors, pour voir si les dieux avaient répondu à la supplique du Comité, Loup s'approcha de Méphistine, menaçant et grognant, les babines relevées, exposant des crocs meurtriers.

Sans même s'en rendre compte, Méphistine releva sa queue, fit volte-face et exposa son anus à Loup. Comme si son derrière pouvait menacer le président du Comité naturel des mammifères sauvages du Québec !

Soudain, un jet de liquide nauséabond fusa de l'anus de Méphistine et arrosa Loup copieusement. Aussitôt, une puanteur infernale se répandit, une puanteur telle qu'elle causa la débandade générale. Loup plongea immédiatement dans un ruisseau tout près, se débattant comme un diable pour se débarrasser de cette infâme odeur qui collait à sa fourrure.

La puanteur s'amplifia et se répandit à des kilomètres à la ronde.

Le congrès s'était soldé par un succès qui dépassait toutes les attentes. Les membres se félicitèrent mutuellement, sans toutefois oser s'approcher de Méphistine la puante.

Les premiers Français qui débarquèrent au Québec au début de la colonie appelèrent cette bête puante Mephitis Mephitis, le surnom de Méphistophélès, le diable en personne, et plutôt deux fois qu'une.

Mouffette était devenue l'un des animaux les plus respectés de la forêt québécoise. Elle avait enfin trouvé un moyen de défense implacable. Elle n'était ni plus intelligente, ni plus belle, ni plus forte, ni plus rapide. Elle était simplement puante.

Les années passèrent et Mouffette passa des jours paisibles. Puis un jour, les hommes construisirent des routes et des autoroutes. Méphistine connut alors de nouveaux prédateurs qui, eux, n'avaient que faire de sa puanteur. Ces nouveaux prédateurs faits de métal et de caoutchouc étaient dépourvus d'odorat.

La caverne fatale

Inspiré de « L'Islet au massacre, du Bic »
Charles Gauvreau, 1923

L'archipel du Bic, situé entre Trois-Pistoles et Rimouski, est constitué de quelques îles dont l'une s'appelle l'îlet au Massacre. Ce nom rappelle un événement tragique qui s'y est déroulé il y a fort longtemps.

Il y a bien des années, des touristes qui exploraient l'archipel furent bouleversés par la découverte, au fond d'une caverne de l'île, de centaines d'ossements humains blanchis – des crânes, des fémurs, des cages thoraciques – tout cela pêle-mêle, comme si la caverne avait été le repaire d'un ogre.

On tenta en vain d'expliquer la présence de ces ossements jusqu'au jour où on découvrit une légende indienne qui pourrait bien expliquer la mystérieuse et macabre découverte.

Selon cette légende, avant l'arrivée des Français au pays, des nomades de Stadaconé avaient l'habitude de descendre le fleuve en canot jusqu'à leurs territoires de chasse, dans le Bas du fleuve.

À cette époque, des guerres faisaient rage entre diverses tribus amérindiennes et les massacres étaient nombreux. Or ce jour-là, les familles nomades s'aperçurent qu'elles étaient poursuivies par une bande rivale en costume de guerre, le visage peint de couleurs vives. Dans les yeux des poursuivants brillait la flamme du meurtrier. Ils pagayaient vite et fort et gagnaient du terrain sur les nomades, dont les canots étaient pleins jusqu'au franc-bord d'outils de chasse et de pêche.

Les nomades décidèrent donc de débarquer dans l'archipel du Bic où ils espéraient trouver refuge. La marée très basse révéla l'entrée d'une caverne sur l'île et ils s'y enfoncèrent avec les canots. Là, ils attendirent en silence que leurs agresseurs poursuivent leur route. Mais ces derniers savaient que leurs victimes s'étaient cachées dans l'archipel. Ils se mirent donc à fouiller les environs, le casse-tête en main, prêts à bondir sur leurs proies.

Au moment où un groupe d'attaquants passait au large de la caverne, un bébé caché dans les bras de sa mère se mit à crier. Les féroces guerriers surent alors où se dissimulaient les nomades. Mais au lieu de se lancer dans la caverne, ils décidèrent de barricader l'entrée avec un mur de branches de sapin.

Pendant ce temps, la marée montait et les nomades avaient de moins en moins d'espace pour respirer. Bientôt, ils durent descendre des canots qui se rapprochaient du plafond de la caverne. Chaque minute qui passait réduisait leurs chances de survie.

C'est alors que les attaquants mirent le feu à la barricade. Totalement impuissants, les nomades poussèrent des cris épouvantables. Certains furent asphyxiés par la fumée, d'autres se noyèrent, emprisonnés dans la caverne inondée. L'un d'entre eux tenta de s'échapper en nageant sous la barricade enflammée, mais à sa sortie, on le reçut à coup de flèches.

Tous les nomades et les vieux sages qui s'étaient joints à l'expédition moururent dans la caverne maudite.

Plusieurs siècles plus tard, le jeune Médord Léveillée débarquait au phare du Bicquet, non loin de la caverne, en compagnie de son chien Barbichette. Il avait obtenu le poste de gardien de phare pour l'hiver et se réjouissait à l'idée de vivre entouré d'eau et de glace. Du haut de sa tour, il laissait son esprit vagabonder là où son regard décidait de se poser, parfois sur terre, parfois au-delà de l'horizon.

Une nuit, Médord fut brusquement réveillé par d'inquiétants grincements dans l'escalier en colimaçon. Il crut même entendre un martèlement continu dans les murs. Mais il se rendormit très vite et rêva intensément.

Dans son rêve, le phare s'enfonçait dans le fleuve et l'eau entrait à flots par la porte défoncée. Il tentait désespérément d'atteindre la plus haute fenêtre du phare, mais plus il grimpait, plus l'escalier tournait comme une vis sans fin. Lorsqu'il arriva enfin sur le palier supérieur, le phare arrêta de s'enfoncer et il vit par la fenêtre les pieds d'une bande d'Amérindiens qui dansaient sur l'eau. L'un d'eux s'accroupit devant la fenêtre, brandit son tomahawk, puis fracassa la vitre, tandis que les autres martelaient le mur de pierre. L'eau entrait maintenant par la fenêtre et les fissures. Il sentit une odeur de fumée. Il avala de l'eau. Il ne pouvait plus respirer…

Médard se réveilla en suffoquant dans son lit trempé de sueur. De son rêve il ne garda rien, sinon un sentiment de profonde détresse.

Le soir suivant, des voix plaintives se mêlèrent aux bruits et aux grincements. Médord était à bout de nerfs. Il n'était pas porté sur la bouteille ni superstitieux. Il avait clairement entendu les voix gémissantes; ce n'était ni le bruit du ressac ni le fruit de son imagination. Après cette nuit d'épouvante, il décida d'abandonner les lieux maudits.

Il partit donc à l'aube sur la glace mince, mais la surface menaçant de se rompre à tout instant, il rebroussa chemin. Il revint au phare en attendant que la glace épaississe. Son chien Barbichette réussit toutefois à atteindre la rive.

L'animal courut pendant des kilomètres pour alerter les habitants du village. Quand ceux-ci virent le chien japper et tourner en rond comme un enragé, ils se doutèrent que quelque chose était arrivé au jeune gardien du phare. Ils décidèrent donc de suivre la bête jusqu'à son maître.

Rendus en face de l'île, ils constatèrent que la glace était mince. Ils mirent donc une barque à l'eau et, à l'aide de leurs rames, ils brisèrent la glace pour avancer jusqu'au phare.

Médord n'était pas là pour les accueillir. La lourde porte était entrouverte. Ils frappèrent et entrèrent immédiatement.

La scène qui apparut devant eux les saisit d'horreur. Le jeune Médord reposait au bas de l'escalier, les yeux et la bouche grands ouverts. Ses pieds et ses mains étaient retournés à l'envers. Tous ses os semblaient brisés, son crâne était enfoncé et un côté de son visage était carbonisé.

Comment une simple chute dans l'escalier avait-elle pu causer de telles blessures ? On fouilla le phare de fond en comble sans trouver le moindre indice d'infraction. Il n'y avait pas de traces non plus dans la neige autour du phare. On ramena la dépouille au village et on prétendit que le jeune gardien était mort de peur. Jamais on ne fit allusion à son corps disloqué.

Certains soirs, dans la baie du Bic, entre le cap Enragé et le cap aux Corbeaux, des fantômes armés de flambeaux dansent sur les galets. Parfois, le vent apporte avec lui le gémissement d'Amérindiens à l'agonie.

Les lutins

Inspiré de « Les lutins »
Louis Fréchette, 1919

Près du village de l'Anse-Pleureuse, en Gaspésie, vivait un certain Poléon Vallée, un tranquille fermier qui possédait plusieurs chevaux. Pour d'obscures raisons, Poléon était visité par des lutins.

Apparemment, les lutins seraient des petits êtres aux oreilles pointues et à l'air malin, généralement vêtus d'un habit vert. Ces êtres joueurs de tours auraient été importés au XVIe siècle, alors que le *Lady B*, un navire battant pavillon anglais, fit naufrage en Gaspésie – en conséquence, prétend-on, de quelque manigance des lutins dissimulés dans la cale.

Les lutins n'étaient pas des tortionnaires ou des assassins. Ils étaient surtout très agaçants. Ils adoraient jouer des tours mais toujours sans méchanceté. Et si d'aventure un tour entraînait une situation désastreuse, comme ce fut peut-être le cas du *Lady B*, les lutins n'en étaient certainement pas conscients.

Toujours est-il que Poléon eut affaire à ces lutins malins.

Crinoline, la jument préférée de Poléon, était douce, obéissante et affectueuse. Évidemment, c'était avec elle que les lutins voulaient s'amuser. La nuit, ils grimpaient sur un seau et tressaient minutieusement la crinière dorée de la jument. Puis, avec plusieurs tresses, ils se fabriquaient des étriers à leur mesure pour pouvoir chevaucher le cheval. Les lutins adoraient galoper et c'est précisément ce qu'ils faisaient à tour de rôle toute la nuit.

Aux petites heures du matin, avant de disparaître, ils ne manquaient jamais d'offrir une portion d'avoine à la jument pour la remercier de ses services. Et quand ils ne trouvaient pas d'avoine dans la grange de Poléon, ils en chapardaient impunément chez le voisin.

Tous les matins, Poléon arrivait à l'étable peu avant l'aube et y trouvait Crinoline la crinière toute tressée, épuisée, mais le ventre plein. Les tresses étaient tellement fines et serrées que Poléon consacrait des heures à les dénouer, en vociférant et en maudissant les ignobles individus qui lui faisaient perdre un temps précieux chaque jour.

Certes, Crinoline était grassement nourrie et fort jolie avec ses tresses de crinière blonde qui lui donnaient un petit un air féminin. Toutefois, Poléon ne tolérait pas que des étrangers pénètrent dans son étable et touchent à ses animaux, surtout à sa belle Crinoline, sans permission.

Poléon se doutait que ces mauvais coups étaient d'origine lutinesque, car il avait déjà entendu parler de ces êtres mystérieux par un marin irlandais de passage dans la région. À l'époque, il avait écouté le marin d'une oreille distraite, car il n'était pas le genre d'homme à croire aux contes de fées et encore moins aux contes de lutins.

Le marin était reparti et Poléon attendait son retour avec impatience pour en savoir davantage sur le fléau qui s'était abattu sur sa ferme. En attendant, les lutins continuaient à tresser la crinière de Crinoline et Poléon, à la détresser.

Au retour du marin, Poléon apprit que pour que cesse cette histoire, il fallait qu'une femme enceinte défasse les tresses. En ce temps-là, les femmes en gestation étaient souvent mandatées pour accomplir des rituels contre le mal.

La grossesse d'Arthémise Languenaude était si avancée qu'elle avait peine à marcher. C'est donc à elle que l'on demanda, ce matin-là, de dénouer les cent mille tresses de Crinoline. Malgré ce stratagème, les petits lutins réussirent tout de même à tresser de nouveau la crinière de Crinoline, mais ils ne purent la chevaucher toute la nuit.

Poléon demanda alors à l'Irlandais de venir à sa rescousse. Celui-ci suggéra que l'on place un plat d'avoine ou de cendres en face de la porte de l'étable. Étant des êtres très méticuleux, les lutins passeraient la nuit à ramasser les grains un à un s'ils renversaient le plat et manqueraient de temps pour embêter les animaux. En outre, comme ils détestaient que l'on se joue d'eux, ils ne retourneraient pas là où ils auraient essuyé un affront.

Poléon mit toutes les chances de son côté. Il plaça plusieurs plats d'avoine et de cendres à l'intérieur de l'étable et aligna trois autres plats devant la porte. Il retourna chez lui en sifflotant et en se frottant les mains comme un garnement qui vient de réussir un bon coup.

La nuit venue, Poléon laissa la fenêtre de sa chambre ouverte pour épier les bruits du dehors. Étendu dans son lit, il murmura : « Petits lutins malins, qu'attendez-vous pour entrer. Entrez, mais entrez donc. »

C'est alors qu'il entendit tout un vacarme dans l'étable. Imaginant les lutins en train de ramasser les grains d'avoine un à un, il pouffa de rire et cria cette fois : « Tel est pris qui croyait prendre. »

Puis il ajouta : « Rira bien qui rira le dernier. »

Sur ces paroles victorieuses, il s'endormit l'esprit enfin en paix. Au matin, Crinoline n'avait pas de tresses et souriait de toutes ses dents de jument.

Dès lors, on prit l'habitude de disposer des plats d'avoine toujours pleins devant les portes des étables de l'Anse-Pleureuse. Curieusement, les coqs et les poules ne touchaient pas à cette nourriture.

Sur le toit des granges, certains habitants installèrent un pic surmonté d'un petit cheval de bois que les lutins se contentaient de chevaucher.

Certains prétendent que si vous capturez une lutine, le conjoint lutin vous versera un baril d'or pour récupérer sa titine. Mais cela n'est jamais arrivé, même au terme de grandes chasses aux lutines.

L'apparence des lutins découle de racontars de personnes qui affirmaient connaître quelqu'un qui connaissait quelqu'un qui avait déjà entendu parler de quelqu'un qui aurait eu ouï-dire… Mais personne n'a jamais vu un lutin de ses propres yeux, sauf l'homme qui a vu l'homme qui a vu le lutin.

À la Sainte-Catherine

Adapté de « À la Sainte-Catherine »
Charles-Marie Ducharme, 1889

Vers l'an 307 de notre ère, une femme du nom de Catherine aurait été exécutée pour avoir refusé de se marier à l'empereur romain Maxence. Or, en ce 25 novembre 1870, c'était justement le jour de la Sainte-Catherine. C'était la fête des femmes qui n'avaient encore pu trouver mari, celles qu'on appelait les « vieilles filles », celles de qui on disait qu'elles « coiffaient la Sainte-Catherine ».

Colette vivait à Saint-Norbert, un petit village situé au pied des Laurentides, sur le chemin de Saint-Gabriel-de-Brandon. Elle avait décidé que cette année, elle ne serait plus célibataire. Elle était fatiguée d'être l'éternel dindon de la farce à la Sainte-Catherine, lasse que l'on ricane dans son dos, que les commères jacassent à son sujet. Chaque année, les gens du village qui la voyaient toujours sans amoureux ne manquaient pas d'aller lui présenter leurs plus sincères – et leurs plus sarcastiques – condoléances.

En 1870, tous se préparaient à rejouer leur sempiternel refrain sous la fenêtre de la belle découragée quand, au matin du 25 novembre, une nouvelle incroyable, stupéfiante, se répandit dans tout le village : Colette avait avoué en secret, à une intime, que c'était sa dernière Sainte-Catherine et que la journée ne se passerait point sans que l'on vît du nouveau.

Les commérages allèrent bon train. Colette allait-elle se marier ? D'où venait l'heureux élu ? Était-il blond, châtain, brun ou roux ? Était-il riche ? Nul ne le savait. Jusque-là, l'amant de Colette était resté invisible. La fiancée avait été si discrète qu'on se demandait bien comment elle avait pu garder son secret aussi longtemps.

Mais la journée n'était pas finie et réservait d'autres surprises aux commères du village. Midi sonnait à peine au clocher quand on vit le facteur s'arrêter à toutes les maisons pour y déposer une carte d'invitation à une fête chez Colette.

Où Colette allait-elle entasser tout ce monde, elle qui n'avait pour tout abri qu'une vieille masure à peine soutenue par des poutres vermoulues. Elle n'avait qu'un mobilier primitif constitué d'une table, de chaises droites, d'un poêle et de quelques bottes de foin.

Tous avaient donc grande hâte d'élucider ces énigmes.

Ce fut en foule que l'on se rendit chez la vieille fille. À la grande surprise de tous, bien que la chaumière de Colette restât la même à l'extérieur, l'intérieur avait subi une transformation féerique. Les poutres vermoulues avaient disparu sous des lambris dorés; des colonnes de marbre, enguirlandées des roses les plus fraîches et les plus odoriférantes, soutenaient une voûte teinte d'azur et étoilée de marguerites et de boutons d'or; des massifs de fleurs rares et de ramilles de sapin, disséminés çà et là dans ce nouveau parterre, remplissaient l'enceinte des parfums les plus suaves et les plus aromatiques.

La véritable surprise fut Colette elle-même : rajeunie, embellie, gracieuse comme une fée, blanche comme un lys, elle qui était si sombre auparavant. On n'en doutait plus : l'amant devait être un grand prince, riche et puissant, mais un prince qui brillait par son absence.

En attendant, la grâce de Colette émerveillait les jeunes filles; elles auraient tout donné pour être aussi belles. Quant aux vieux, ils hochaient la tête, en se disant que tout ce qu'ils voyaient était surnaturel, qu'il devait y avoir quelque sortilège là-dessous.

En dépit de la foule, Colette était isolée. Même les jeunes galants du village ne pouvaient s'approcher de la belle fiancée pour solliciter une danse. Malgré maintes tentatives, les plus braves ne purent franchir le cercle qui maintenait la reine de la soirée hors de toute atteinte.

Et pourtant, elle ne les fuyait point, elle les invitait à s'approcher, leur adressait de charmants sourires, se permettait même des minauderies et soulignait son gracieux babil de moues des plus séduisantes.

Lorsque le sirop d'érable, dont on entendait crépiter les bulles parfumées dans un immense vase doré, fut suffisamment cuit et qu'on voulut l'étirer, les invités furent témoins d'un étrange phénomène : de couleur d'or qu'elle était, la tire prit des teintes de rose, d'orange, de blanc; azurée et pourprée, la tire ressemblait à du nectar tant elle était délicieuse. Ce fut la meilleure qu'on ait jamais goûtée au village.

Pendant cette orgie de tire d'érable, on entendit les airs entraînants d'un orchestre invisible qui attaquait un quadrille endiablé. Aussitôt, tous se mirent à danser avec un entrain et une légèreté dont ils se croyaient incapables.

Colette dansait seule, entourée de tous, et aucun danseur ne put s'approcher d'elle. Puis minuit sonna.

La jeune femme s'immobilisa au centre de sa maison et pâlit. Au dernier coup de l'horloge, un grand tumulte se fit dans la salle. Les rideaux finement dentelés se mirent en mouvement comme sous un vent magique et les marguerites et les boutons d'or de la voûte, qui semblait maintenant embrasée, tombèrent comme une pluie de feu; les lumières, jusque-là si étincelantes et si blanches, prirent les teintes d'un brasier.

Tout ce qu'il y avait dans la maison s'embrasa : les fleurs, les colonnes, les poutres, les tentures. Mais comme dirigés par une force céleste, les invités dansaient toujours, de plus en plus vite, telles des marionnettes en crise d'épilepsie. Personne ne put s'extirper du tourbillon rapide qui entraînait les couples malgré eux. Il fallut danser encore et encore.

Puis les décorations fantastiques entourèrent Colette comme une ardente couronne mortuaire. Deux trônes s'élevèrent du berceau de feuillages et de rameaux pourpres. Dans l'un se trouvait un personnage vêtu de rouge, les yeux flamboyants, affublé de cornes et d'une queue velue; l'autre trône était sans doute réservé à Colette, la fiancée du Diable. À cette vue, les invités se sauvèrent à toutes jambes et trébuchèrent, pêle-mêle, dans la neige.

S'élevant de l'intérieur de la maison, une voix caverneuse proféra :

— Colette, sois mon épouse et viens régner avec moi au royaume de l'enfer. Tu as dis ce matin : « Plutôt épouser le diable que de rester vieille fille. » Ton vœu est exaucé. Damnés, en avant la noce !

Un bruit abominable de chaînes et d'enclumes remplaça la musique magique et un gémissement lugubre glaça d'épouvante les derniers invités.

La masure s'écroula et une flamme bleuâtre plana sur les décombres.

Le lendemain, la maison avait disparu. À sa place s'élevaient un monceau de cendres fumantes et une poutre calcinée : les derniers vestiges du terrible drame de la veille.

Depuis, tous les ans à la Sainte-Catherine, sur le coup de minuit, une forme blanche erre dans les ruines maudites et trace en lettres de feu sur la poutre calcinée ces funestes paroles : « Plutôt épouser le diable que de coiffer la Sainte-Catherine. »

Le Bonhomme Sept-Heures

Conte inédit de Michel Savage
Inspiré de la tradition orale, 2006

En 1908 vivait à Montréal Crack Bonesetter, un « ramancheux », sorte de chiropraticien des temps anciens. Il ne guérissait pas les fractures; il remettait plutôt en place les os sortis de leur socle cartilagineux. Sans diplôme, il était pauvre et ne payait pas de mine. Pourtant, on disait de lui qu'il était une sorte de magicien. Venu d'Écosse, il avait appris son métier sur le tas, ici et là, bien souvent aux dépens de vieux et de vieilles à qui il cassait les os fragiles.

Sa réputation n'était plus à faire dans le quartier Saint-Henri. Tout le monde le connaissait et, malgré son air méchant, on finissait toujours par faire appel à ses connaissances quand on se déboîtait l'épaule, le cou ou un coude.

Un jour, Donald Mallard, un ouvrier du port, le fit venir chez lui. Donald était tombé du deuxième étage de sa maison, alors qu'il était en train de la repeindre, et il s'était déboîté l'épaule gauche. On aurait dit que son bras sortait de sa poitrine !

Bonesetter le ramancheux arriva tard le soir. Il avait l'air d'un mendiant, d'un gueux si repoussant qu'on n'aurait pas osé lui faire la charité. Il avait les mains sales, les ongles longs comme des serres, la barbe à moitié rasée et les yeux d'un noir impénétrable.

Il fit asseoir Donald sur une chaise. Sans mot dire, il se saisit du bras et le tordit si fort que le blessé hurla à pleins poumons. Il y eut des bruits secs et des craquements inquiétants pendant que Donald gigotait de douleur. Tous les voisins entendirent ces cris effrayants qui confirmèrent la réputation de Bonesetter, le tortionnaire qui faisait souffrir les gens pour les guérir, tel un arracheur de dents. Certains disaient même que Bonesetter avait chez lui une guillotine.

Bonesetter n'était pas qu'un bourreau. Parfois, les supplices infligés donnaient de bons résultats; l'épaule ou le coude revenait dans son socle. D'autres fois, Bonesetter empirait les choses en déchirant les ligaments de ses victimes. Dans ce cas, il ne s'excusait même pas, mais au moins, la visite était gratuite.

Le ramancheux mourut peu après sa visite chez Donald.

Au fil des ans, dans le quartier Saint-Henri où peu de gens parlaient anglais, la légende de Bonesetter devint celle du Bon' Setter, puis celle du Bonhomme Setter, puis celle du Bonhomme Sept-Heures – celui qui fait souffrir les déboîtés.

Un soir, en 1913, Gaspard, le cadet de la famille Mallard, refusait de se coucher. Son père Donald, qui avait subi la torture de Crack Bonesetter, le menaça en lui disant :

— Si tu n'es pas couché à sept heures, le Bonhomme Sept-Heures viendra te chercher. Il est venu dans cette maison alors que tu étais tout petit. Il connaît l'adresse. Je sais qu'il peut te faire très mal si tu n'es pas caché sous tes couvertures.

Gaspard étant un enfant téméraire ignora la menace. Il ne croyait pas à ces histoires. La nuit était tombée et il était toujours éveillé, concentré sur les batailles rangées de ses soldats de plomb.

Tout à coup, il entendit un grincement à sa fenêtre, tel un bruit d'ongles égratignant la surface d'un tableau noir. Ses poils se dressèrent sur ses bras et des frissons parcoururent sa nuque. La fenêtre s'ouvrit et un vent glacial balaya la chambre, éteignant la lampe.

Se sentant soulevé de terre, Gaspard vit tout contre son visage le spectre d'un homme très laid affichant un affreux rictus. Il sentit l'odeur âcre et fétide de son haleine. Alors, émanant d'une bouche pleine de dents pourries, une voix rauque annonça :

— Je vais casser tous tes membres et t'emporter avec moi, au pays de la douleur. Puisque tu ne t'es pas couché à sept heures, je te torturerai pendant sept ans.

Gaspard se débattit comme un chat fou contre l'épouvantable Bonhomme Sept-Heures. Il lutta en vain. Il tenta de crier de toutes ses forces, mais aucun son ne sortit de sa bouche. Il était seul et serait emporté !

À ce moment, la lumière se fit dans la chambre et le père de Gaspard apparut dans le cadre de la porte. Le garçon était penché, en équilibre instable au-dessus de la fenêtre, prêt à s'élancer du haut du deuxième étage. Le père rattrapa juste à temps son fils trempé de sueur et tremblant de peur.

À partir de ce jour-là, Gaspard respecta scrupuleusement l'heure du coucher, si bien que même devenu un vieillard, il ne se coucha jamais plus tard que sept heures.

De nos jours, les « ramancheux » ont été remplacés par les chiropraticiens, des experts diplômés qui n'ont plus rien à voir avec les tortionnaires d'antan.

Le Bonhomme Sept-Heures, lui, existe encore.

Chaque fois que par malice un parent menace de l'appeler, le Bonhomme s'éveille, sort des ténèbres et se met à la recherche de sa nouvelle victime. Lorsqu'il trouve l'enfant désobéissant, il le plonge dans d'épouvantables cauchemars où une guillotine ébréchée, couverte de croûtes de sang séché, semble tomber, retomber et retomber sans cesse sur son cou.

Crack Bonesetter est toujours vivant et son spectre est aux aguets, toujours.

Le cap du chat

Inspiré de « Cap-Chat »
Encyclopédie Wikipedia, 2006

Dans le village de Cap-Chat situé sur la rive sud du fleuve Saint-Laurent, l'été avait été dévastateur : il n'y avait pas plu depuis trois mois. Les récoltes avaient séché sur place et les animaux de ferme, que l'on élevait dans l'arrière-pays, avaient péri de faim et de maladie. Même les oiseaux avaient fui cette région brûlée par le soleil et le vent sec de la mer où plus rien ne poussait.

Heureusement, les habitants du minuscule village avaient pu compter sur les fruits de la pêche pour survivre. Tout l'été, ils avaient mangé de la morue le matin, du hareng le midi et de l'anguille le soir.

Les greniers et les granges étant vides, même les rats et les souris avaient déserté le village. Les animaux de compagnie, tels que les chiens et les chats, avaient eux aussi survécu grâce aux produits de la mer. Un poisson de temps en temps, c'est bon, mais un poisson tout le temps, ce l'est bigrement moins, se lamentaient-ils parfois.

Sinsin était un vieux matou tout ébouriffé. Ses oreilles avaient gelé lors des hivers rudes et n'étaient plus que des excroissances informes sur sa tête. Ses vibrisses étaient tombées l'une après l'autre. Sa queue, autrefois grosse et touffue, était devenue un moignon sans énergie. Ici et là, dans sa fourrure sale, il y avait des éclaircies, chacune rappelant une mémorable bagarre.

Ne pouvant chasser dans les champs et les granges désertes, il se rendait souvent sur la grève, à marée basse, dans l'espoir d'y trouver quelque proie facile comme un mollusque qui aurait raté la dernière marée descendante. Quand la marée était basse, la mer se retirait très loin. Parfois, des poissons et des crabes restaient pris dans des trous d'eau. Voilà une nourriture gratuite pour laquelle il n'avait qu'à se mouiller les pattes.

Ce jour-là, le matou surveilla longuement les vagues, mais il n'y vit que des algues. Il miaula de dépit et se tourna vers les rochers qui bordaient la rive. En temps normal, des herbes hautes poussaient à cet endroit. Cette année, aucune végétation ne survivait aux brûlures du soleil.

Sinsin savait par expérience que là où il y avait des interstices, il y avait des cachettes, et là où il y avait des cachettes, il y avait des bêtes bonnes à croquer. De son vieil œil exercé de fin chasseur, il détecta un mouvement à peine perceptible dans un creux entre des rochers. Pour le matou, tout ce qui était en mouvement était, en principe, bon à manger.

La patte mouillée et l'estomac dans les talons, Sinsin s'approcha des rochers. La pupille dilatée et les oreilles tendues, il distingua un trou profond et obscur duquel émanait une odeur tendre et savoureuse de chair fraîche. Une tanière habitée.

Le matou discerna toute une portée de petits animaux au poil doré qui se terraient au fond du trou. L'entrée étant trop petite pour qu'il s'y faufile et se régale, il fit ce que font tous les chats respectables : il s'installa confortablement, les pattes d'avant repliées sous sa poitrine, et attendit patiemment.

Finalement, une petite bête poilue sortit sa tête du trou. Voyant le matou étendu sur les galets qui semblait dormir, elle s'en approcha à pas mesurés. Tant et aussi longtemps que la proie n'était pas à portée de patte, le matou resta de pierre. Mais dès qu'elle se trouva à distance de griffe, il la happa en un éclair.

On entendit un craquement d'os broyés et la petite bête disparut dans l'avide gosier du félin.

Et c'est ainsi que, l'un après l'autre, les bébés poilus finirent leur courte existence dans l'estomac d'un vieux matou. Ce dernier ne savait pas vraiment ce qu'il avait mangé, car il était aveuglé par la faim. En tout cas, il s'était délecté à souhait. Les bouchées avaient été bien croquantes et la viande bien saignante. Il s'en lécha les babines pendant des heures.

Le ventre bien rond et bien bas, le matou s'en retourna au village vers son balcon préféré où il se promettait une digestion lente et confortable.

Alors qu'il sommeillait de bonheur sous les rayons chauds du soleil de midi, une ombre plana sur lui. Sentant une baisse de température, Sinsin entrouvrit les yeux puis les ouvrit tout grands, pupilles dilatées.

Un chat à la fourrure dorée, monstrueusement gigantesque, gros comme une niche de saint-bernard, était planté devant lui, l'air menaçant et courroucé, les yeux mi-clos et les oreilles repliées vers l'arrière.

Le félin géant lui dit alors :
— Mécréant de chat, tu as mangé mes enfants !

Sinsin resta gueule bée un moment puis répondit :
— Mais je n'ai pas mangé ta famille, je ne me suis nourri que de petites bêtes curieuses, là-bas, près de la plage.
— C'étaient mes enfants et tu les as dévorés.

Prenant un air désinvolte de chat indépendant, le matou dit :
— Ouais et puis ?

Le chat géant annonça alors :
— Je ne suis pas un chat ordinaire. Je suis la Déesse Chatte. Et pour te punir de ta cruauté, je t'emprisonne pour l'éternité dans la roche du cap. Tous les chats se souviendront alors que la faim ne justifie pas les moyens.

Depuis, il arrive parfois qu'à la pleine lune, on entende les pierres de Cap-Chat miauler.

Émilie

Inspiré de « La jongleuse »
Henri-Raymond Casgrain, 1912

À une certaine époque de la Nouvelle-France, les Français et les Anglais étaient en guerre. Ces derniers tentaient par tous les moyens de prendre possession de ce vaste territoire habité ici et là par quelques peuples autochtones.

En remontant le fleuve avec difficulté à bord de leurs frégates à voiles, les Anglais devaient inéluctablement affronter les soldats de Québec, une ville imprenable, entourée de falaises et bien fortifiée. Québec, la porte de l'Amérique, était une place forte.

Rodolphe Malaubras et Émilie Glaïeule s'aimaient à la folie. Lui était un lieutenant qui, en ses temps libres, labourait une terre que lui avait donnée le gouverneur. Elle était orpheline et avait été trouvée, enveloppée dans un linge, sur le parvis de l'église alors qu'elle n'était qu'un poupon. Des rumeurs avaient couru voulant qu'elle soit la fille illégitime du curé, mais rien n'avait été prouvé.

Un jour, les « méchants » Anglais apparurent sur le fleuve. On sonna le branle-bas de combat et tous les miliciens, soldats et jeunes hommes valides se réunirent sur les berges du Saint-Laurent pour affronter l'ennemi. Les canons des navires anglais semèrent la destruction et dévastèrent des fermes et des maisons, mais les Français gagnèrent la victoire au terme de trois jours de combats acharnés.

Lors des combats, Émilie s'était dévouée corps et âme pour soigner les nombreux blessés qui étaient transportés à l'hospice de Québec. Certains avaient une jambe ou un bras arraché par un boulet rougi, d'autres avaient des entailles de baïonnettes et d'autres encore hurlaient de douleur, brûlés vifs par les incendies qui rageaient dans la ville et les villages avoisinants.

Le calme revenu, Émilie accourut vers le champ de bataille à la recherche de son amant. Au bord de la rivière Montmorency, des centaines de cadavres gisaient, ballottés par la vague. Elle examina chacun des morts. Son bien-aimé, qui n'avait donné aucun signe de vie, ne faisait pas partie du lot. Elle poussa un soupir de soulagement.

Elle courut sur les rochers, parmi les ronces qui déchiraient son manteau et son jupon. Elle demandait à tous s'ils avaient vu son Rodolphe. Mais tous secouaient négativement la tête en baissant les yeux.

Émilie, haletante, continua son chemin. Elle trouva une troupe réduite qui festoyait autour d'un feu. Mais là non plus, on ne savait où était le beau lieutenant.

Elle repartit, escaladant les rochers, le cœur serré. Elle se précipita ensuite sur le sentier qui menait aux habitations. Et cette fois encore, elle ne trouva personne. Les Anglais avaient incendié les fermes et les granges qui brûlaient sans témoins ni sauveteurs. Elle courut à perdre haleine vers sa maison qui était restée intacte. Elle poussa la porte et appela, mais personne ne répondit.

Elle ouvrit l'armoire qui contenait sa robe blanche, celle qu'elle réservait pour son mariage avec Rodolphe. Elle enfila la robe, comme pour conjurer le sort. Puis elle s'enfonça dans la forêt, le seul endroit où pouvait se trouver son amour.

Pendant de longues heures elle marcha, fouilla chaque buisson, s'écorchant les bras et le visage aux branches. Elle poursuivit sa quête, trébuchant parfois sur les corps de soldats anglais, en vain.

Elle se rendit alors en un lieu en amont des grandes chutes, là où elle et Rodolphe avaient l'habitude de se rencontrer, là où ils s'étaient caressés à satiété, à l'écart des regards indiscrets. À son arrivée, elle vit des gens rassemblés.

Pleine d'espoir, elle se dirigea vers le petit groupe. Plus elle avançait, mieux elle distinguait la scène. Une douzaine de personnes formaient un cercle autour d'un corps gisant sur le sable. Alors le cercle s'ouvrit et laissa le passage à Émilie, la femme Glaïeule, celle qui portait une robe blanche.

Rodolphe était mort. Un boulet lui avait arraché une partie du visage. Elle arrivait trop tard. Elle se jeta sur lui en hurlant sa douleur.

Les miliciens la laissèrent seule afin qu'elle puisse pleurer toute sa peine.

Émilie sécha ses larmes. Son cœur se durcit. Aux premières lueurs de l'aube, elle se dirigea lentement vers le promontoire surplombant les chutes tandis qu'au loin, sur le fleuve, s'en allaient les navires anglais chargés de blessés et de morts.

Du haut du promontoire, elle clama de toutes ses forces : « Par la force du diable, je te vengerai ! »

Puis elle sauta dans le vide, sa robe blanche frémissant dans le vent mortel. Elle disparut dans l'écume des chutes et son corps ne fut jamais retrouvé.

Un siècle plus tard, une Anglaise du nom de Harriett Tees et son jeune fils, Stripp, embarquèrent un soir sur l'*Astrebel*, une modeste barque à un mât pilotée par un vieux passeur. La femme et son fils appartenaient à une famille bourgeoise qui s'était installée à Québec après la conquête du pays par les habits rouges.

La mère et son fils devaient se rendre sur l'île d'Orléans où se donnait une fête d'aristocrates. Ils faisaient route depuis quelques heures en longeant la rive nord de près, en silence car le passeur ne parlait pas anglais, quand les nuages se dissipèrent pour dévoiler une pleine lune éblouissante.

Stripp Tees se réveilla en sursaut et dit à sa mère qu'il avait aperçu une femme, toute drapée de blanc, marchant sur les eaux. Elle lui répondit que la lumière de la lune créait des images avec les moutons de la mer et qu'il ne fallait pas s'inquiéter.

Peu avant l'aube, le passeur décida de s'arrêter à Boischâtel pour s'y approvisionner avant la traversée vers l'île d'Orléans. Il n'en avait que pour dix minutes. Il laissa donc la femme anglaise et son fils dans la barque et partit réveiller le gérant du magasin général du village.

À son retour sur la rive, une scène d'horreur l'attendait. Harriett Tees était pendue à un arbre et elle n'avait plus de visage. Sa face était une gigantesque plaie d'où dégoulinaient du sang et des morceaux de cerveau. Le fils, Stripp, agonisait sur le sable, sans montrer de blessure évidente. Quand le passeur s'agenouilla près de lui, l'enfant murmura : « The white lady… » Puis il rendit son dernier souffle.

On interrogea longuement le passeur mais on ne put le condamner, faute de preuves et de motifs. D'ailleurs, le passeur était très vieux et reconnu comme un chrétien convaincu. Il n'aurait pas fait de mal à une mouche.

C'est depuis ce temps que, sur les rives du fleuve, on parle de la femme en blanc, la femme Glaïeule ou la dame aux glaïeuls, dont la vengeance ne cesse de frapper les Anglais malchanceux qui se risquent sur les eaux du Saint-Laurent, aux abords de Québec.

La griffe du diable

Inspiré de la tradition orale
Aristide Rouillard, 2006

Au XIXe siècle au Canada, les femmes étaient souvent prisonnières de leur maison, car elles avaient beaucoup d'enfants à élever. Elles devaient pourvoir à tous leurs besoins, préparer les repas de la famille, repriser et laver les vêtements, nettoyer la maison et s'occuper d'un million de corvées que les hommes, partis aux champs ou à la pêche, ne pouvaient accomplir.

En outre, une grande partie de leur vie était consacrée à la gestation et à l'enfantement de bébés qui se succédaient sans relâche. Elles avaient donc peu de temps pour se divertir et pour s'amuser. Les seuls moments de détente qu'elles pouvaient se permettre se limitaient à des conversations avec leurs voisines. C'est ainsi que se répandaient les histoires sucrées et salées qui alimentaient la vie sociale du village. Elles étaient les gardiennes des traditions et de l'histoire.

Un dimanche matin, alors que le reste de la famille était parti à la messe, Thérèze Krispize décida de s'offrir un temps de repos et d'aller cueillir des bleuets en compagnie de son nouveau-né. Dans cette région, les bleuets poussaient en abondance et n'avaient rien à envier à ceux du lac Saint-Jean. Elle attacha solidement son bébé dans son dos, prit ses paniers tressés et se lança dans la cueillette des bleuets, contrevenant ainsi aux règles de l'Église interdisant tout travail le dimanche.

Elle traversa la clôture de cèdre qui entourait son terrain et se rendit chez sa voisine où les bleuets semblaient plus gros, plus juteux, plus mûrs et plus abondants.

La voisine, Eldéphonse Laclôture, était une mégère peu commode. Mécontente de son sort – elle était sans progéniture – elle trouvait toujours une excuse pour se plaindre. Elle vit venir Thérèze sur son terrain, sortit aussitôt et l'invectiva haut et fort :
— Tu n'as pas affaire ici, tu n'es pas chez toi ici !

Thérèze répondit que les bleuets appartenaient à tout le monde, car ils avaient été créés par Dieu.

Eldéphonse protesta :
— Voleuse ! Retourne chez toi !

Les deux femmes se mirent à s'injurier de plus en plus vertement.
— Vieille peau ! criait l'une.
— Gratteuse ! répondait l'autre.
— Voleuse de bleuets ! reprenait l'une.

Finalement, Thérèze lança :
— Va donc chez le diable !

C'est alors qu'apparut une créature immonde, ni homme ni bête, qui dégageait une puanteur infernale. Sa longue tête grimaçante, pourvue d'une barbe de bouc, d'oreilles de loup et de deux cornes sinistres, ballottait sur un corps noir efflanqué, de stature colossale. Ses pieds et ses mains se terminaient en griffes et, sur son dos, deux longues ailes nervées se repliaient au repos dans un bruit de papier froissé.
— Vous m'avez appelé, Mesdames ? demanda la créature de sa voix rauque et glapissante.

Les femmes furent clouées sur place, pétrifiées. Reprenant ses sens après de longues minutes, Thérèze tendit la main à sa voisine et l'invita à se ranger près d'elle.

— Vite, viens ici ! Accrochons-nous à mon bébé. Il est pur et le diable n'a aucune emprise sur lui. C'est le seul moyen de nous en sortir !

Sans hésiter Eldéphonse se blottit contre sa voisine et son bébé dans l'espoir de se protéger des maléfices de la créature.

Comme le diable ne pouvait rien faire, il s'enragea.

Brûlant des ardeurs de l'enfer, il se tourna vers un gros rocher tout près et se mit à le griffer furieusement, en maugréant et en gesticulant comme un énervé.

Il griffait et griffait de ses pieds et de ses mains, projetant des étincelles dans toutes les directions. Ses griffes acérées laissaient de profondes entailles dans la pierre. Il labourait le rocher à la manière d'un bloc d'argile.

Puis, ayant assouvi sa colère, le diable se dissipa comme un brouillard qu'emporte le vent.

Les voisines se réconcilièrent et racontèrent à tous comment elles avaient vaincu le diable. Pour célébrer cette victoire, on composa une chanson : *Le reel du diable en maudit d'avoir manqué son coup.*

Le rocher est toujours là et les traces de griffes sont demeurées intactes. Même la pluie et le vent n'ont pu les effacer. Certains ont conféré au rocher des vertus magiques qui auraient le pouvoir de régler les différends entre voisins ou les problèmes qu'éprouvent les couples.

Depuis ce temps, à Saint-Lazare-de-Bellechasse, on ne fait jamais allusion au diable, même pas pour dire « Va au diable ! » ou « C'est un bon diable ! » ou « Diable que j'ai faim ! ».

La Griffe du Diable rappelle à tous qu'il ne faut jamais invoquer le Malin, car celui-ci est toujours prêt à cueillir des âmes imprudentes.

Le sirop d'érable

Conte inédit de Michel Savage

Inspiré de diverses légendes amérindiennes, 2006

À une époque fort reculée, bien avant l'arrivée des Français au pays, la plupart des tribus amérindiennes d'une partie de l'est du continent connaissaient l'exquise saveur du sirop d'érable, ce sucre qui vient de la sève des arbres.

Les Amérindiens avaient remarqué qu'au printemps, les écureuils roux fréquentaient les érables. Ils sautillaient de branche en branche, grimpaient et descendaient, comme enivrés par quelque nectar. Ils avaient vu que ces rongeurs s'attaquaient parfois à l'écorce de l'arbre, puis se mettaient à lécher la sève qui en sortait, comme de petits vampires végétariens.

Les Amérindiens tiraient le sucre dont ils avaient besoin des fruits sauvages tels que les mûres, les bleuets, les framboises, les fraises et les atocas. Mais ce matin-là, Woskis Sanvah, un chef iroquois, ayant longuement observé l'écureuil, eut l'idée de goûter à cette sève qui s'écoulait de l'entaille. Il planta son tomahawk dans l'écorce, au bas de l'arbre, et grimpa jusqu'aux premières branches. L'écureuil, dérangé dans sa délectation, s'enfuit en bougonnant.

Woskis goûta à la sève et, bien que son goût eût été vaguement sucré, il n'y prêta guère attention et descendit de l'arbre.

Le lendemain matin, il se souvint qu'il avait laissé son tomahawk planté dans l'érable. Il partit donc le chercher. L'outil avait fait une profonde encoche dans l'arbre, mais Woskis ne la remarqua pas. Il partit chasser et s'en désintéressa.

Au pied de l'arbre gisait un récipient en écorce de bouleau qui servait au transport de l'eau qu'on allait quérir à une source éloignée. Goutte à goutte, la sève de l'arbre s'écoula de l'entaille faite dans le tronc et finit par remplir le récipient.

Le lendemain, la femme de Woskis trouva le récipient plein. Prenant la sève incolore pour de l'eau, elle s'en servit pour faire cuire un ragoût de perdrix.

Au souper, Woskis prit une bouchée de viande, la dégusta longuement puis, avec un grand sourire de contentement, dit à sa femme :

— Ce ragoût est délicieux. Il a un goût sucré.

N'y comprenant rien, sa femme goûta au ragoût qui avait cuit tout l'après-midi. Woskis avait raison : la viande était agréablement sucrée. Peut-être la perdrix s'était-elle gavée de baies sauvages ? Et les choses en restèrent là.

Plusieurs jours plus tard, comme le soleil réchauffait le printemps, l'entaille dans l'érable laissa couler une abondance de sève sucrée dans le récipient d'écorce que la femme avait remis en place. Se rappelant du goût délicieux de la perdrix sucrée, elle décida de se servir de cette eau de nouveau pour cuire son repas.

Elle mit donc des morceaux de chevreuil dans un pot de terre au-dessus des braises, puis remplit le pot à ras bord de cette eau-venant-de-l'érable.

Elle était fatiguée, car elle avait pêché toute la nuit. En attendant que la viande cuise, elle alla s'étendre dans sa maison longue. Mais elle dormit plus longtemps que voulu et ne se réveilla que le soir venu. Se souvenant alors de son bouilli de chevreuil sur le feu, elle sortit précipitamment.

Sous le pot, les braises étaient encore vives. Elle vit que l'eau-de-l'arbre avait considérablement épaissi. Les morceaux de chevreuil étaient figés dans un sirop épais. Elle croyait bien avoir raté son repas. Machinalement, elle prit son couteau et le plongea dans le pot.

Elle en ressortit une tire qui ressemblait un peu à la sève du sapin, collante, lustrée, épaisse. Elle y goûta. Puis elle y goûta encore et encore et encore. Jamais elle n'avait goûté à quelque chose d'aussi délicieux – c'était meilleur que du miel. Elle comprit alors que la sève-de-l'arbre-qui-pleure prenait cette consistance lorsqu'elle était cuite pendant des heures.

Malgré l'heure tardive, elle se rendit dans la forêt et entailla une douzaine d'érables au pied desquels elle plaça des récipients. Rentrant de la chasse, Woskis la croisa et lui demanda avec étonnement :

— Mais que fais-tu ?

— J'ai découvert le secret du nectar qui coule des arbres, lui répondit sa femme toute joyeuse.

De retour à sa maison, elle lui tendit le pot qui contenait encore de la tire d'érable. Il observa le tout avec méfiance.

— Mange, insista-t-elle.

Hésitant, il trempa son couteau dans le récipient et passa ensuite sa langue sur la tire qu'il dévora avec délice. Il se régala comme jamais.

Puis il se souvint des prisonniers algonquins qui, avant de mourir sous la torture, avaient parlé de « sinzioikwar » qui veut dire « tiré des arbres ». Il comprit alors.

Après s'être gavé de tire au point de s'en sentir mal, Woskis dit à sa femme :

— Il n'est pas bon que les arbres produisent du sucre aussi facilement. Si les hommes peuvent recueillir du sucre sans effort, ils ne tarderont pas à devenir paresseux. Il faut tâcher de les faire travailler.

Alors sa femme lui expliqua que pour mériter cette tire délicieuse, les hommes devront fendre du bois et passer des nuits à surveiller la cuisson du sirop. Ce ne serait donc qu'au prix de leur labeur qu'ils pourront déguster le sucre-venant-de-l'arbre.

Toutes les tribus amérindiennes des régions où l'arbre qui donne du sucre poussait se mirent ainsi à récolter la sève des érables pour en faire de la tire et du sucre.

La flotte engloutie

Adapté de « L'amiral du brouillard »
Faucher de Saint-Maurice, 1874

L'amiral Walker quittait l'Angleterre avec sa flotte de bateaux de guerre, sur l'un desquels se trouvait miss Routh, la femme qu'il aimait – il l'avait en fait enlevée, car elle était destinée à un vieux noble de la cour de la reine Anne.

Pendant ce temps à la Rochelle, en France, le capitaine Jean Paradis finissait de charger tranquillement son navire, le *Neptune*. Plus tard, le vent plein les voiles, le beaupré pointé vers Québec, le navire commença à labourer l'océan.

Le *Neptune* avançait allègrement quand, une belle nuit, il se trouva au milieu d'une flotte de quatre-vingts vaisseaux.

Le vieux Paradis se gratta l'oreille, arpenta fiévreusement son banc de quart, ajusta sa lunette et, réalisant que le *Neptune* voguait au milieu d'une flotte anglaise, il baissa à contrecœur son pavillon français.

Les Anglais mirent le feu au *Neptune*. Le capitaine Paradis fut capturé et embarqué sur l'*Edgar*, le vaisseau amiral de soixante-dix canons commandé par Walker. Tristement accoudé sur le bastingage du navire anglais, Paradis regarda sa petite fortune s'envoler en fumée.

Paradis connaissait le fleuve comme le fond de sa poche. Il savait où gisaient le moindre récif et le plus petit banc de sable. Sa réputation bien méritée était parvenue jusqu'aux oreilles des Anglais qui savouraient sa capture comme un cadeau de la providence.

Les Anglais traitèrent le vieux Paradis dignement. Ils le nourrirent très décemment et lui offrirent une belle cabine. Mais Paradis qui avait la tête bien sur les épaules ne se laissa pas duper par les bonnes manières de l'ennemi.

Tout l'or du monde n'aurait pu convaincre le capitaine Paradis de prendre la barre du gouvernail. Il était un marin français et fier de l'être. Les Anglais mirent tout en œuvre pour le faire fléchir mais rien n'y fit. La frégate se trouvait maintenant par le travers de l'île aux Œufs.

C'était le 22 août 1711. L'*Edgar* s'était immobilisé sur les flots, tel un prédateur prêt à bondir sur sa proie. Bientôt, il irait dégurgiter sa cargaison de boulets sur la pauvre ville de Québec.

Le capitaine Paradis, toujours impassible, fixait son œil terne et mélancolique sur un petit nuage blanc stationné au fond du firmament. Brusquement, le nuage se déplaça légèrement en direction du sud. Un éclair passa dans le regard du prisonnier qui toutefois ne broncha pas d'un muscle.

Une tape sur l'épaule tira le vieux Paradis de sa transe. L'amiral Walker se tenait à ses côtés, une longue-vue sous le bras.

— Capitaine, le beau temps est avec nous. Continuez à nous porter chance. Si ce petit vent continue à fraîchir, nous pourrons bientôt jeter l'ancre devant Québec.

— Amiral, sachez que plus d'une ancre s'est perdue en face du cap Diamant.

— C'est pourquoi je compte sur vous, capitaine Paradis. Vous êtes le pilote le plus expérimenté de ces eaux et j'ose espérer qu'aujourd'hui vous daignerez condescendre à prendre la barre.

— Je suis votre prisonnier, amiral Walker, pas votre pilote.

Le vent fraîchissait, se déclarant franc sud. Dans le lointain commençaient à se dessiner les Sept-Îles. L'*Edgar* ployé sous ses voiles filait à vive allure, serré de près par son convoi.

La nuit tombait rapidement. Soudainement, une voix se fit entendre à l'avant :

— Ahoy ! Brisants à tribord !

— Lof pour lof ! hurla l'amiral, en se rapprochant de Paradis.

La frégate, soumise au gouvernail, fit tête au vent. L'amiral Walker dit alors à son prisonnier :

— Capitaine, il y va de notre vie à tous; choisissez entre la barre ou le bout de la grande vergue.

Un nouvel éclair passa dans le regard de Jean Paradis qui répondit d'une voix lente :

— Je capitule, Monsieur. Je prends pour deux heures le commandement du vaisseau. Sur mon âme il ne lui arrivera rien. Faites carguer les voiles ! Ne laissez que la toile des huniers, ainsi que la misaine, et dites-leur ça en anglais !

Un silence mortel régnait à bord; on n'entendait que les hurlements de la tempête au loin et les bruits de la manœuvre commandée par le capitaine.

Entre les mains rudes de Paradis, l'*Edgar* se cabrait comme un cheval que l'on dompte. Le long des sabords filaient les lueurs de la mer scintillante qui se brisait à quelques encablures de là sur les récifs. L'île aux Œufs était déjà dépassée lorsqu'un coup de canon retentit à l'arrière. Puis ce fut deux, puis trois, puis huit, puis quinze.

Bientôt, un immense cri de détresse s'éleva et domina toutes ces détonations. Un éclat de foudre suivit et les gens de l'*Edgar* virent alors ce que jamais encore l'œil humain n'avait vu.

Telle une colonne de feu, une gerbe éblouissante sortit du fleuve et monta dans les airs, combattant l'ouragan qui tentait de l'empoigner. Sans sa lutte échevelée, l'immense ruban rouge éclaira en serpentant le plus grand tableau d'horreur que puisse présenter la mer.

Aussi loin que la vue portait, le Saint-Laurent était rouge d'uniformes anglais. Partout des têtes humaines et vivantes se heurtaient contre des fronts morts; des centaines de survivants cherchaient à se délier de tout un monde de cadavres qui, insoucieux, dansaient sur la crête des vagues.

Au loin, sur l'île aux Œufs, huit frégates éventrées recevaient dans leurs coques déchirées les lames qui venaient s'y engouffrer.

Poussant un cri rauque, l'amiral Walker s'élança sur la dunette de l'*Edgar*.

— Le *Léopard* ! Qu'est devenu le *Léopard* ? hurla-t-il.

Le *Léopard* s'était perdu dans le brouillard et était allé, lui aussi, se fracasser contre l'île aux Œufs. Tous les membres de l'équipage et les passagers périrent dans le naufrage. Parmi les victimes se trouvait miss Routh, la fiancée de Walker.

Devant un tel désastre, le pauvre amiral pleura à chaudes larmes, mais pas pour longtemps. Au bout de cinq minutes, il se tourna flegmatiquement vers Paradis, lui jeta un regard meurtrier, puis dit froidement à son officier de quart :

— Brown, mettez vos fers les plus solides à ce gaillard-là et faites-le déposer à fond de cale en attendant que justice se fasse.

Enchaîné comme un brigand, le père Paradis ne vit ni le ciel ni le jour pendant six longues semaines. De temps en temps, le geôlier qui lui jetait sa pitance lui donnait par-ci par-là quelques nouvelles.

Le vieux Paradis avait détruit tous les rêves de Walker dont la fiancée reposait désormais dans les sables d'une côte inhospitalière, en face de l'île aux Œufs, trois mille cadavres anglais montant la garde autour de son cercueil virginal.

De la catastrophe ne restaient que quelques bâtiments chargés de blessés et de survivants. Le lourd trésor de la flotte fut enterré sur l'île aux Œufs, non loin de l'endroit nommé aujourd'hui la pointe aux Anglais.

De retour en Angleterre, à l'embouchure de la Tamise, l'amiral Walker décida de faire sauter son navire plutôt que de vivre sans sa fiancée, la belle miss Routh. Seuls le capitaine Paradis et quelques matelots furent rescapés.

Paradis parvint à passer en France où il obtint le commandement d'un vaisseau, l'*Espérance de Nantes*, à bord duquel il revint au pays.

Ce navire filait bien lorsqu'une accalmie se fit, accompagnée d'un épais manteau de brouillard, à la hauteur de Sept-îles.

Debout sur son banc de quart, l'oreille tendue et l'œil vif, le capitaine Paradis s'interrogeait sur la nappe grise qui absorbait l'horizon quand il entrevit la silhouette d'un vaisseau. Puis ils furent deux, puis huit, puis vingt à surgir du banc de brume.

Paradis crut halluciner, mais l'*Edgar* glissait bel et bien sur les flots, silencieusement, en tête de son convoi funèbre. À mesure qu'ils filaient, le brouillard se déplaçait dans leur sillage. Bientôt, à l'exception de l'*Edgar* et de quelques autres, tous doublèrent la pointe aux Anglais, s'engagèrent dans la passe et allèrent s'évanouir sur les récifs de l'île aux Œufs.

Depuis, chaque fois que sur le golfe la brume s'étend froide et serrée, l'amiral du brouillard revient croiser dans ces parages. Il s'en va baiser le front de sa douce fiancée, entraînant à sa suite les infortunés vaisseaux surpris par la brume dans ces endroits désolés.

Le gobelet d'argent

Adapté de « Un saint missionnaire,
le père Ambroise Rouillard »
Charles Gauvreau, 1923

On disait du père Ferblanc Rouillard qu'il était un saint homme. Pendant quarante ans, il avait prêché la dévotion, le dévouement et le dépouillement. Il s'était consacré à la conversion des autochtones et, ce faisant, il avait parcouru des milliers de kilomètres, tant en forêt que sur les eaux du Saint-Laurent, tant en hiver qu'en été, bravant les nuages de moustiques et les poudreries glacées. Sur la rive sud du fleuve, il était connu de Québec à Gaspé.

Le père Rouillard était devenu vieux. Il avait presque soixante-quinze ans, ce qui, en 1769, était un âge plus que vénérable. Il avait moins d'énergie, marchait plus lentement et oubliait parfois des paragraphes entiers de ses sermons dominicaux.

Un jour, alors qu'il visitait ses ouailles à Trois-Pistoles, il décida de séjourner chez un vieil ami, le seigneur Rioux. Son vrai nom était André de la Bretelle-Valdebrassée-sur-la-Longe, comte de Rioux. Ils se connaissaient tous les deux depuis la tendre enfance.

Le seigneur Rioux, lui-même de grand âge, offrit au père Rouillard de faire exécuter son portrait par un peintre local.

—Je sais que vous serez immortalisé au ciel. Mais pourquoi pas sur terre, grâce à ce tableau, avait dit le seigneur en riant.

Le père, de nature modeste, avait tout de même accepté l'offre de son ami. Ainsi, pendant deux jours, il dut se tenir droit sur une chaise afin que le peintre puisse esquisser son portrait, puis le colorer.

Finalement, le peintre finit son œuvre et la présenta au père Rouillard qui s'exclama :

— Mais j'ai l'air d'un noyé ! Regardez mon teint, il est gris comme l'eau du fleuve en automne.

Puis le père Rouillard, déposant le tableau contre le mur, poursuivit :

— Mon ami Rioux, je ne prendrai pas ce tableau avec moi; je te le laisse pour que tu te souviennes de moi. Par contre, j'ai perdu mon gobelet et j'aimerais bien que tu m'en prêtes un.

— Tiens, je te le donne; garde-le aussi longtemps que tu le voudras, dit Rioux en lui tendant un gobelet d'argent à fond de verre.

—Je te le rendrai après ma mort, dit le père, dans un éclat de rire.

Il enfouit le gobelet dans son sac de voyage et revêtit des vêtements chauds, car il faisait froid sur le fleuve en cette fin d'été.

Après ce séjour agréable chez Rioux, le père Rouillard poursuivit son chemin sur les eaux du fleuve. Au cours du voyage, une tempête du nord-est se déchaîna et fit chavirer le canot.

Pendant ce temps, chez les Rioux, la femme du seigneur se rendit dans la chambre occupée la veille par le père Rouillard. Elle en sortit toute paniquée.

— Le père Rouillard est mort ! hurla-t-elle.

Le vieux Rioux la calma et lui demanda pourquoi elle disait des choses pareilles.

Elle expliqua qu'elle avait trouvé le gobelet d'argent sur un bureau de la chambre. « Un signe de Dieu », avait-elle ajouté.

Pendant la tempête sur le fleuve, le père Rouillard avait disparu dans les eaux froides, tandis que les rameurs avaient pu s'accrocher au canot qui, peu à peu, avait dérivé vers la plage. Ils avaient bien tenté de sauver le vieux père, mais celui-ci avait coulé à pic dans l'eau noire, profonde et glacée.

À l'aube, les deux hommes vidèrent le canot et le remirent à flot. Ils décidèrent de revenir à Trois-Pistoles, afin d'avertir le seigneur Rioux de la triste perte du vieux missionnaire.

En entrant dans le manoir, les rameurs furent renversés par la scène qui s'y déroulait. Toute la famille Rioux était agenouillée devant le portrait du père. Le portrait avait subtilement changé. Le visage du père n'était plus gris comme celui d'un noyé. Il avait repris des couleurs et affichait même un sourire qui n'y était pas la veille.

Voyant les rameurs tout décontenancés, le seigneur Rioux se leva et les amena dans la chambre du père, au deuxième étage. Puis il leur dit d'une voix basse, pleine de respect :

— Vous venez m'annoncer le décès de mon ami, mais je le savais déjà. Il m'avait dit qu'il me remettrait ce gobelet après sa mort. Ce matin, nous l'avons retrouvé ici, dans sa chambre. Pourtant, nous l'avions bien vu l'enfouir dans son sac.

Les rameurs étaient abasourdis. Personne, à part eux, n'était au courant de la fin tragique du père Rouillard. L'un des rameurs tenait le sac de voyage du père. Le sac était encore mouillé. Il l'ouvrit et plongea sa main à l'intérieur. Il y avait une croix, un bréviaire, quelques vêtements, plusieurs chapelets, mais aucun gobelet.

Depuis ce temps, on n'offre jamais de gobelet à un marin qui s'apprête à prendre la mer car, disait-on, c'était une invitation à mourir par noyade. Personne, non plus, ne se fait peindre le portrait avant de partir en bateau. Cela porte malchance.

On érigea un monument funéraire à la mémoire du père sur lequel on fit sculpter un gobelet, ce qui était tout à fait inusité à l'époque. Malheureusement, sa réputation posthume en souffrit, car on crut au cours des générations qui suivirent que le père Rouillard avait été un ivrogne, ce qui était absolument faux.

Le brouillard du Saguenay

Inspiré de « La bonne Sainte Anne au Canada »
Georges Bélanger, 1923

Pendant la guerre entre les Anglais et les Français, une violente bataille se préparait à Québec. Trente-deux navires de guerre anglais avaient leurs canons de bronze pointés sur la ville assiégée, prêts à répandre le feu et le sang, et des centaines de soldats aux habits rouges avaient envahi les rives de la rivière Saint-Charles.

Avant d'affronter leur destin sur les champs de bataille, tous les hommes de Beauport s'étaient rendus à Sainte-Anne-de-Beaupré, un lieu saint, pour recevoir le rituel de la communion.

Les combats firent rage pendant des jours entiers. C'était le genre de combats où les soldats pratiquaient « la petite guerre » qu'ils avaient apprise des Amérindiens. Malgré cette tactique inconnue des Anglais, les Français se faisaient quand même abattre en grand nombre.

Après plusieurs jours de combat, le champ de bataille était jonché de cadavres alignés, des soldats morts en rechargeant leur fusil. Les pertes étaient lourdes, mais les miliciens français remportèrent la bataille, en grande partie grâce au courage des habitants de Beauport dont plusieurs s'étaient battus avec des fourches et des faucilles.

Fiers de leurs exploits guerriers, ces hommes retournèrent à Sainte-Anne-de-Beaupré pour remercier leur sainte préférée de son support vital.

Vaincus, les Anglais rembarquèrent dans la confusion la plus totale sur leurs bateaux ancrés en face de Beauport et descendirent le fleuve. À Québec, on craignait que les Anglais ne croisent les navires français qui remontaient pour venir seconder les soldats et la milice de la colonie.

C'est pourquoi un courrier parti de Québec fila à bride abattue pour rejoindre la flotte française et l'avertir de la menace anglaise.

Tous les bateaux français se réfugièrent alors dans l'embouchure du Saguenay, là où les courants du fleuve et ceux du fjord se rencontrent et créent de dangereux tourbillons autour des roches et des hauts-fonds. De tout temps, les navigateurs considéraient la navigation fort périlleuse en cet endroit. Mais les marins français étaient habiles et connaissaient bien ces eaux, ce qui n'était pas le cas des Anglais qui ne s'y risqueraient sans doute pas.

Malheureusement, le vent tomba et le dernier vaisseau de la flotte française, un petit brigantin appelé *La Bacchante*, fut encalminé à l'extérieur du Saguenay, à la vue de ses ennemis anglais. Immobilisé, il devenait la cible facile des canons des protestants.

Pendant ce temps, poussée par le fort courant de marée descendante, la flotte anglaise s'approchait du Saguenay.

Parmi les membres de l'équipage du brigantin français se trouvait Léopold de la Verdière, un soldat ayant fréquenté les gens de Beauport dans sa jeunesse. Léopold se souvint d'une légende qui courait dans le village, voulant que sainte Anne ne refuse jamais d'aider un marin en détresse, pourvu que celui-ci l'invoque. Ainsi, bien qu'il ne fût pas pieux de nature, Léopold s'agenouilla sur le pont de *La Bacchante*, joignit ses mains et dit fiévreusement : « Sainte Anne, patronne des navigateurs, sauve-nous de la vengeance des Anglais. » Un épais nuage de brume enveloppa le navire stabilisé dans le calme. L'équipage du brigantin garda le silence complet pendant que les Anglais poursuivaient leur route vers le golfe du Saint-Laurent, ignorant qu'un navire français, une proie facile, se cachait dans le brouillard. Puis le nuage de brume se dissipa et *La Bacchante* rejoignit la flotte française dans le Saguenay.
Quelques années plus tard, un bâtiment chargé de marchandises, affrété par un marchand de vin, aurait lui aussi été protégé par un nuage de brouillard alors qu'il était pourchassé par trois navires de guerre hollandais.

En 1917, le traversier *S.S. Thor*, un vapeur à roues latérales, faisait régulièrement la navette entre Rivière-du-Loup et Tadoussac, à l'embouchure du Saguenay. Un jour, le capitaine du traversier vit un périscope fendre les eaux du fleuve et s'approcher à grande vitesse. Il se doutait bien qu'il s'agissait d'un sous-marin allemand qui avait pénétré loin dans les eaux territoriales du Canada, prêt à couler tout navire sur son chemin.

Le capitaine du traversier, un certain Débranché, se souvenant de la légende de sainte Anne, fit immédiatement route vers le Saguenay. Il fit appel à la bonne sainte et, aussitôt, un dense manteau de brouillard recouvrit le bateau. L'équipage du *S.S. Thor* attendit anxieusement pendant plusieurs heures. Personne ne revit le périscope du sous-marin assassin.

De nos jours, bien des plaisanciers qui font de la voile à l'embouchure du Saguenay se retrouvent en détresse quand le brouillard s'élève. Parfois, certains périssent dans les courants violents de la région. C'est que de nos jours, on oublie d'invoquer sainte Anne qui ne vient secourir que ceux qui l'appellent.

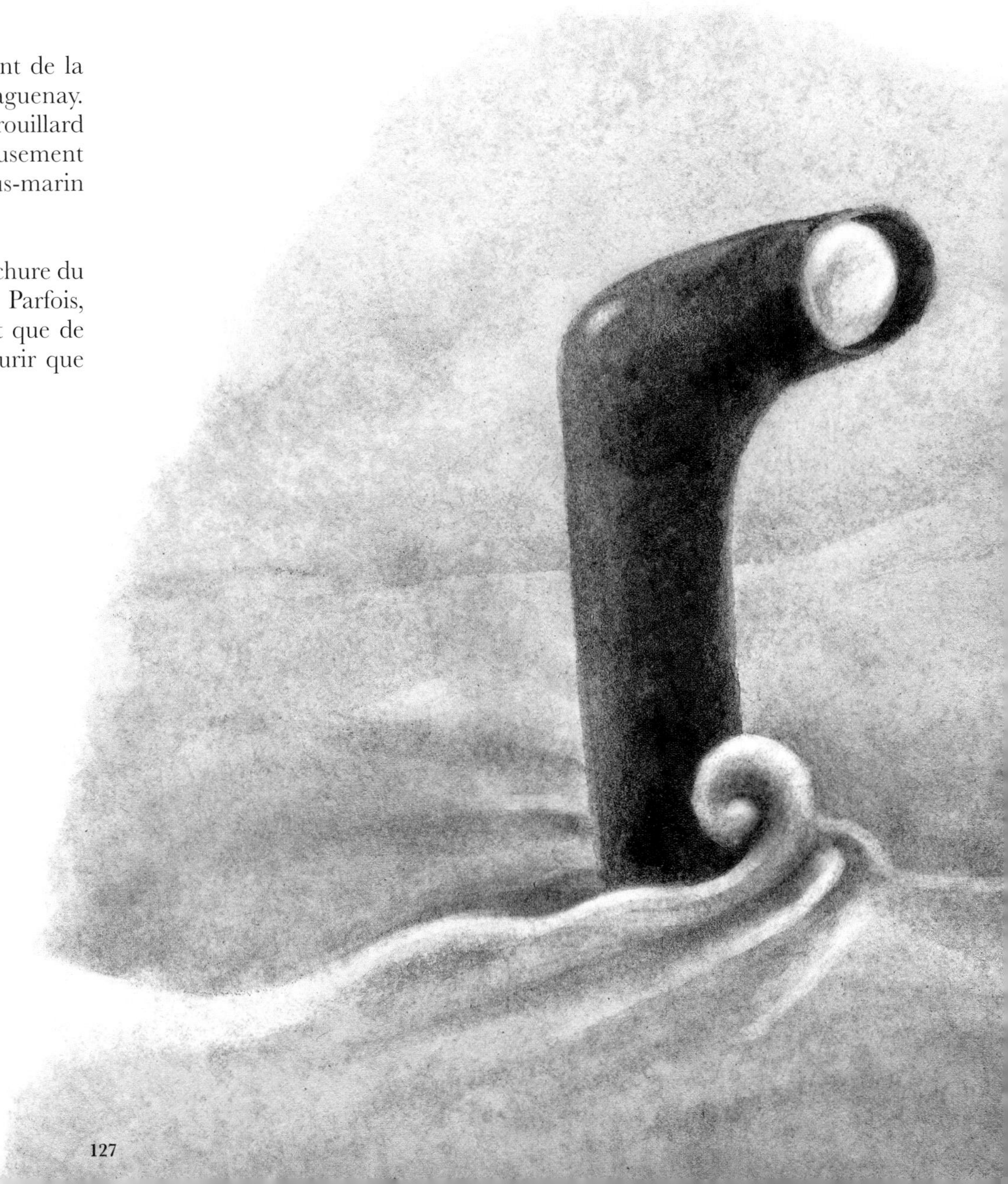

La possédée du meunier

Conte inédit de Michel Savage
Inspiré de faits historiques, 2006

En 1660 vivait sur les terres de sieur Robert Giffard, seigneur de Beauport, un certain meunier de 45 ans du nom de Daniel Voil. Ce dernier, un huguenot chassé de France à cause des tensions religieuses, s'était embarqué vers la Nouvelle-France. Bien que Voil fût, à titre de meunier, un important personnage dans son village, il n'avait pas beaucoup de droits comme huguenot; c'est pourquoi, au cours du voyage en mer, il avait abjuré la religion protestante devant Mgr de Laval. En pays de Canada, les protestants n'avaient aucun droit, aucun recours à la justice. Dotées d'un grand pouvoir, les autorités catholiques régnaient par la terreur et imposaient un code de conduite rigide.

Daniel Voil, un grand homme taciturne à la chevelure noire abondante et aux sourcils touffus, avait un air de diable. Il parlait peu, mais dans ses grands yeux noirs brillait une flamme vive, celle d'une révolte intense contre un ordre établi intolérant, étroit d'esprit, superstitieux et injuste. Il était bon meunier et produisait une farine de bonne qualité pour le seigneur Robert Giffard.

Outre le meunier Voil, le seigneur de Beauport avait plusieurs autres serviteurs et esclaves, dont une jolie orpheline de seize ans, Barbe Hallay. Peu à peu, à force de rencontrer Barbe à l'improviste sur les terres du seigneur, Voil en tomba amoureux. Mais Voil ne connaissait pas la bienséance; il était direct et ses manières un peu rustres effrayaient la jeune fille.

Un jour, Voil surprit l'orpheline dans une étable en train de traire une vache; il s'en approcha pour lui révéler ses sentiments secrets et pour l'aimer de plus près. Barbe avait, sans raison, très peur de cet homme sombre, intense, passionné et un peu grossier. Barbe était une jeune fille vulnérable aux sentiments délicats qui, profondément religieuse, faisait honneur à son dieu, aux anges, aux séraphins et aux archanges.

Puis un soir, alors qu'elle venait de quitter le manoir après y avoir fait le ménage, elle croisa Voil sur le sentier de la sapinière. Celui-ci, visiblement ivre, se mit à la suivre dans l'obscurité. Barbe prit peur et commença à courir. Son poursuivant la rejoignit. Elle tomba. Il tomba par-dessus elle. Grognant des mots inintelligibles, il tenta vainement de la calmer. La jeune fille, terrassée par une peur viscérale, sombra dans une crise de nerfs.

Barbe hurlait, gesticulait et se débattait violemment. Tout son corps frétillait comme s'il était électrifié par mille éclairs du ciel. Une écume blanchâtre sortit de sa bouche. Malgré la noirceur, Voil vit les globes lézardés de vaisseaux sanguins de ses yeux révulsés.

Ne sachant que faire, Voil prit ses jambes à son cou et se réfugia dans son moulin. Il n'avait pas voulu blesser la jeune fille; il n'avait voulu que l'aimer.

Ce sont les sœurs hospitalières de Saint-Augustin qui recueillirent la jeune fille en transe. De leur couvent tout près, elles avaient été alertées par les cris et les hurlements de la jeune fille.

Bien qu'elle se fût calmée pendant quelques heures, la jeune Barbe refaisait des crises régulièrement, si bien que l'on crut qu'elle était possédée par le démon. On fit venir Mgr de Laval pour l'exorciser.

Lorsque celui-ci pénétra dans la minuscule chambre, Barbe entra en crise de nouveau. Elle croyait probablement avoir affaire au meunier. Tremblant de tous ses membres, elle se mit à baver, à vomir et à hurler. Son petit corps allongé dans le lit était animé de convulsions terribles, comme soulevé par des mains invisibles.

Le prêtre portait les vêtements de rituel. D'une main, il aspergeait de l'eau bénite et de l'autre, il tenait un livre ouvert.
— Hors de ces lieux, Satan, je te chasse ! ordonna-t-il.

Mais plus il invoquait son dieu et faisait des incantations, plus il effrayait la jeune fille qui s'enfonçait davantage.

Les sœurs, présentes lors de l'exorcisme, crurent voir des pierres s'arracher des murs et passer au travers des personnes. Elles entendirent la jeune fille parler une langue inconnue qu'elles prirent pour de l'araméen, la langue de Jésus.

Laval ne put maîtriser ni les démons ni Barbe. Toutefois, il tenta de trouver la cause de cette possession démoniaque. Il fallait trouver un responsable, quelqu'un que l'on pourrait punir. Il s'était avéré inutile de questionner Barbe, car la petite n'avait plus sa tête et divaguait complètement. Elle avait certes parlé d'un démon noir, mais sans plus. En fait, elle voyait des démons partout, surtout parmi les prêtres de la petite communauté.

Pendant tout ce temps, Daniel Voil se tenait fort tranquille. Un soir, vers les onze heures, Voil contemplait les étoiles, assis confortablement sur un banc rustique qu'il avait installé devant son moulin, rêvant probablement à la belle Barbe devenue une possédée.

Un soldat en service, passant par là, vit le meunier.
— Holà, meunier, ne sais-tu pas que l'Église interdit de s'asseoir sur un banc après neuf heures ?
— Je me moque de l'Église ! cria le meunier.

Voyant l'arrogance sacrilège du meunier, le soldat l'arrêta sur-le-champ. Le lendemain matin, il amena l'ancien huguenot droit à la résidence de Mgr de Laval.
— Meunier, tu as blasphémé. Repends-toi si tu ne veux pas subir le châtiment de l'Église, dit Laval.

Daniel Voil était un insoumis, un rebelle, réfractaire à toute forme d'autorité, particulièrement quand elle venait soi-disant d'un dieu.
— Vous m'agacez avec vos anges et vos démons, bandes d'idolâtres ! lança Voil.

Le prêtre n'en croyait pas ses oreilles. Quelqu'un osait défier la toute-puissance de son dieu et de son organisation ecclésiastique. Quelqu'un osait le défier, lui, le seul et unique vicaire apostolique d'Amérique du Nord.

Il fit mettre le meunier aux fers pour qu'il soit interrogé le lendemain.

Au petit matin, devant Mgr, le seigneur Giffard et quelques représentants du gouverneur, Daniel Voil fut torturé. Au cours des supplices atroces, le meunier en vint à parler de Barbe et de l'amour qu'il lui portait. Il parla aussi de sa dernière rencontre avec elle, la nuit où elle devint possédée.

Erreur fatale.

On poursuivit la torture et les questions jusqu'à ce que le meunier perde conscience. Il dut avouer être possédé du démon et avoir infecté la pauvre petite Barbe. Il aurait avoué n'importe quoi tant la douleur était intense.

En octobre 1661, Daniel Voil, esprit indépendant, fut passé par les armes. Cinq soldats de la garnison tirèrent sur lui une décharge d'arquebuse. Il mourut sur le coup et son corps fut enterré au hasard, loin de toute terre consacrée.

Quant à Barbe, elle revint peu à peu à ses esprits et, le 14 novembre 1670, elle épousa Jean Carrier. Ils eurent de nombreux enfants et descendants.

La bête à grand'queue

Adapté de « La bête à grand'queue »
Honoré Beaugrand, 1900

Fanfan Lazette se préparait à partir de Lanoraie au petit matin pour se rendre à Berthier, afin d'y acheter de la mélasse, du fromage, de la cassonade, une dame-jeanne de rhum et du thé. Il attela sa jolie pouliche blonde et partit sur le chemin du Roy en compagnie du grand Sem Champagne. Ils arrivèrent à Berthier sur le coup des onze heures et, après avoir réglé leurs affaires et embarqué les provisions, Sem décida de visiter la petite Laviolette qui habitait près de la rivière de Berthier et Fanfan s'en alla tuer le temps chez des voisins.

La journée avait été belle, mais le soir venu, le temps devint lourd. Un orage se préparait. Vers huit heures, Fanfan s'arrêta chez les Laviolette pour prendre son ami qui était soûl comme une bourrique.

La pluie ne tombait pas encore, mais la tempête se faisait de plus en plus imminente. Sem s'endormit comme une marmotte. Puis, à peine partis de Berthier, la tempête éclata avec une fureur terrible. La pluie tombait à torrents, le vent sifflait dans les arbres et ce n'était que par la lueur des éclairs que Fanfan pouvait distinguer la route.

C'était l'instinct de la pouliche qui maintenait la charrette dans le droit chemin, car il faisait noir comme dans un four. Le grand Sem dormait toujours, bien qu'il fût trempé comme une lavette. Fanfan aperçut une maison jaune à la lueur d'un éclair qui l'aveugla et qui fut suivi d'un coup de tonnerre épouvantable. Sem s'éveilla de sa léthargie et poussa un gémissement qui se transforma en un cri de terreur :
— Regarde, Fanfan ! La bête à grand'queue !

Fanfan se retourna et vit derrière la voiture deux grands yeux qui brillaient comme des tisons. Puis, à la faveur d'un éclair, il vit un animal qui hurlait en se battant les flancs d'une queue rouge de deux mètres de long. Fanfan sentit un frisson lui traverser le dos et lança un grand coup de fouet à sa jument qui partit comme une flèche.

La pouliche allait si vite que la charrette menaçait à tout instant de rouler en bas de la côte. Mais mieux valait un accident de la route que de se retrouver face à face avec cette fameuse bête à grand'queue dont il avait entendu parler sans y croire. Fanfan n'était pas très religieux et n'avait pas pratiqué les rituels depuis des années.

Toutefois, Fanfan savait que le seul moyen de venir à bout de la bête, c'était de lui couper la queue au ras du trognon. Il s'assura qu'il avait son couteau à ressort de chantier bien en poche. Sa jument galopait comme une déchaînée et le grand Sem Champagne, à moitié dégrisé par la peur, criait :
— La bête nous poursuit. Je vois ses yeux dans la noirceur.

Ils filaient à un train d'enfer. Ils durent s'engager dans l'étroite route bordée de fossés qui longeait le manoir de Dautraye. Les éclairs traversaient à peine le feuillage des arbres et le moindre écart de la pouliche pouvait les catapulter dans les fossés ou briser la charrette en morceaux sur les troncs des grands arbres.

Un grand coup de tonnerre éclata et la pouliche affolée se jeta dans le fossé. La charrette se retrouva sens dessus dessous. Dans la noirceur, Fanfan se releva et aperçut au-dessus de lui les deux yeux de la bête qui s'était arrêtée et qui le reluquait d'un air féroce.

Fanfan se traîna et ouvrit son couteau tranchant comme un rasoir accroché à sa ceinture, juste au moment où la bête s'élançait sur lui en poussant un rugissement infernal. Il fit un bond de côté et, des deux mains, attrapa le monstre par la queue. La charogne faisait des sauts terribles pour lui faire lâcher prise, mais Fanfan s'y cramponnait avec désespoir.

La lutte dura un quart d'heure. Fanfan volait à droite, à gauche, comme une casserole au bout de la queue d'un chien, mais il tenait bon. Il aurait bien voulu saisir son couteau pour la couper, cette maudite queue, mais c'était impossible tant que la charogne se démenait de la sorte. À la fin, voyant qu'elle ne pouvait pas lui faire lâcher prise, la bête partit au galop, Fanfan toujours accroché à sa queue.

La bête poussait des beuglements effrayants. Grâce à un éclair, Fanfan vit qu'elle prenait la direction du fleuve, probablement pour tenter de le noyer. Au moment où la bête prit son élan pour sauter dans le fleuve,

Fanfan tira son couteau de sa ceinture, réunit toute son énergie et frappa un grand coup sur la queue qui lui resta dans la main. La bête se débattit avant de disparaître dans le courant du fleuve.

Fanfan examina la queue. C'était une queue rouge écarlate, longue de deux mètres, avec un bouquet de poil au bout : une vraie queue de possédé.

La tempête s'était apaisée et, après avoir remis sa charrette à l'endroit et calmé la pouliche, Fanfan et Sem ramassèrent les marchandises éparpillées sur la route et filèrent vers Lanoraie. Le grand Sem avait complètement cuvé son alcool.

Quelques jours plus tard, à Lanoraie, une affaire judiciaire ébranla tout le village.

Un certain M. Trempe se plaignit que son taureau rouge avait disparu et que sa carcasse avait été trouvée, échouée et sans queue, sur la grève du Saint-Laurent. Il accusa Fanfan Lazette de lui avoir coupé la queue et d'avoir ainsi causé sa mort d'une manière cruelle, illégale et subreptice, sur le pont de la rivière Dautraye près du manoir des seigneurs de Lanoraie.

Fanfan Lazette reconnut avoir coupé la queue d'un animal connu dans nos campagnes sous le nom de bête à grand'queue, dans des conditions fort dangereuses pour sa vie et pour le salut de son âme, mais cela à son corps défendant et parce que c'était le seul moyen reconnu de se débarrasser de la bête.

Étant donné que l'existence de la bête à grand'queue était reconnue depuis les temps immémoriaux comme réelle dans les campagnes et que le seul moyen de s'en protéger était de lui couper la queue, comme parut l'avoir fait si bravement Fanfan Lazette, il fut décidé par un tribunal qu'à l'avenir, Fanfan Lazette serait forcé de faire ses Pâques dans les conditions voulues par la religion, ce qui le protégerait de la rencontre des loups-garous, bêtes à grand'queue et feux follets quelconques, et que M. Trempe serait forcé d'enfermer ses taureaux pour les empêcher de fréquenter les chemins publics et de s'attaquer aux passants pendant la nuit.

La queue du taureau fut ensuite mise à l'encan afin de rémunérer les avocats qui avaient plaidé la cause.

Le glas de Tadoussac

Inspiré de « La légende des cloches sonnant »
Charles Gauvreau, 1923

Tadoussac est un lieu grandiose. De nos jours, le village est juché sur un promontoire de granit qui surplombe les eaux tumultueuses du Saint-Laurent et celles de l'abyssal Saguenay, alors qu'à la fin du XVIIIe siècle, il était situé sur le bord du fleuve, à un endroit appelé la « Cale sèche » par les gens du coin. Ses habitants se comptaient chanceux d'avoir leur propre église et leur curé assigné, le père Antoine Vespéral. Comme tout bon moine, il vivait seul et recherchait toute occasion de parler. Il pimentait ses récits d'anecdotes et de souvenirs intarissables, d'où son surnom de père Lapie. Vu son grand âge, le bon curé n'avait plus un poil sur la tête et son échine était courbée comme celle d'un bossu. Il avait oublié son latin et ses incompréhensibles sermons étaient devenus des marmonnements gutturaux. Ses mains osseuses et faiblardes n'arrivaient plus à soutenir les objets du culte.

Antoine Vespéral-Lapie était trop vieux, son dieu allait le rappeler à tout instant.

En avril 1782, dans son presbytère tout près de l'église, le père Lapie accueillit deux voyageurs qui demandaient la bénédiction avant de s'engager dans un périlleux voyage sur le fleuve. Ils s'appelaient Bébert Tremblay et Milot Boulerisse.

Le père Lapie adora cette soirée passée en compagnie des jeunes hommes. Il put monologuer sans retenue et cela lui avait redonné un peu de vigueur. Mais le temps filait et la vieille horloge à balancier sonna neuf heures.
— Mes enfants, il est l'heure d'aller me coucher, dit-il en reprenant sa courte respiration.

Bébert et Milot se levèrent, non mécontents de pouvoir enfin échapper au verbiage interminable du vieux moine. Mais avant de passer le pas de la lourde porte vernie, ils entendirent le père Lapie proclamer – un grand mot pour décrire la faible voix aiguë du vieillard :
— Mes enfants, nous ne nous reverrons plus sur terre. Notre prochaine rencontre se fera parmi les anges, aux côtés de Marie, l'Immaculée Vierge.

Les deux gars échangèrent un regard d'entendement : le vieux devait avoir perdu la raison. Mais après une pause, le père Lapie poursuivit :

— Ce soir, à minuit, la cloche de la chapelle fera écho à ma mort. Je vous demande donc, mes enfants, d'avertir immédiatement le curé de l'Île-aux-Coudres, le père Alex Hiboire.

— Oui, bien sûr, mon père, répondirent les voyageurs en réprimant un sourire.
— Vous le rencontrerez au bord de l'eau; il m'enterra et prononcera mon oraison funèbre, ajouta le père Lapie.

Par crainte de subir un autre éternel monologue, les hommes sortirent en hâte du presbytère.
— Même si la mer est grosse, n'ayez crainte; vous reviendrez sans misère, insista le père, les mains en porte-voix.

Milot et Bébert reprirent la mer en pleine nuit, car la marée adonnait. Grâce au fort courant, ils purent filer à plus de dix nœuds vers leur île en amont du fleuve.

Pendant ce temps, à l'Île-aux-Coudres, des choses étranges se passaient.

Alex Hiboire, un moine jésuite, était curé de l'Île-aux-Coudres. Il était fier de son église dont le clocher semblait toucher le ciel. À minuit, après une journée bien remplie, le curé Hiboire rêva à une messe funéraire des plus émouvantes – l'église toute décorée de fleurs pourpres était pleine de personnes en sanglots et ses lourdes cloches en bronze sonnaient le glas…

Il se réveilla en sursaut et son visage se couvrit de sueurs froides quand il comprit que les cloches de sa propre église tintaient au rythme lent et triste du glas funèbre, celui qui accompagne le cortège noir.

Le père Hiboire eut alors une vision. En dépit de la noirceur, il vit son homologue le père Lapie – ou plutôt le père Vespéral – qui rendait l'âme, enfoncé au creux de son lit, les yeux grands ouverts, fixant le vide que la mort apporte avec elle.

— Non, non, ce n'est pas possible, dit le père Hiboire tandis que le tintement des cloches ralentissait son rythme davantage pour finir par s'éteindre.

Le père Hiboire passa le reste de la nuit éveillé. À l'aube, il enfila sa soutane puis, instinctivement, il se dirigea vers la mer, à l'extrémité est de l'île.

Là, il aperçut un canot vigoureusement mené par deux jeunes voyageurs. L'embarcation s'approcha de la rive et les navigateurs invitèrent le père Hiboire à monter :
— Venez, mon père, nous devons vous amener à Tadoussac.

Le père Hiboire leur répondit en ces mots :
— Je ne sais pas vraiment pourquoi je me trouve ici, mais je crois que je dois en effet monter avec vous.

Les voyageurs n'osèrent pas raconter les élucubrations morbides du vieux curé Lapie. Par respect sans doute.

Devant leur silence, le père Hiboire ajouta, en embarquant dans le canot :
— Il faut, à l'instar de sainte Jeanne d'Arc, toujours écouter la voix de Dieu qui nous parle sans que nous ne comprenions. Il faut avoir la foi.

Malgré le vent qui s'était levé et la grosse brise subséquente, une étroite bande d'eau calme s'ouvrait devant leur proue au fur et à mesure qu'ils avançaient. Ils arrivèrent à Tadoussac et, toujours guidés par une étrange force, se rendirent au presbytère.

Ils frappèrent à la porte joliment sculptée. N'obtenant aucune réponse, ils l'ouvrirent en hésitant et entrèrent en appelant le père Lapie. Seul le silence fit écho à leurs appels répétés. Ils se risquèrent dans l'escalier de la grande maison dont le bois vernis était imprégné d'odeurs d'encens.

Ils pénétrèrent dans la chambre du père Lapie et le trouvèrent inanimé, sans un souffle de vie. Une odeur de mort avait envahi la pièce, un mélange d'odeurs de mauvaise haleine et d'égout.

Ils comprirent alors que le vieux curé avait vu sa propre mort. Il en avait été si certain qu'il avait même décidé de l'heure précise de son trépas. Ses doigts squelettiques enserraient un chapelet aux grains usés. La position de la croix accrochée au chapelet intrigua le père Hiboire qui voulut s'en emparer. Mais les doigts du défunt refusant de lâcher prise, il dut les casser d'un coup sec. En examinant le chapelet, il vit que la croix était fixée à l'envers. C'était là un signe bien funeste.

Le père Hiboire pensa que, las de la vie, Lapie avait invoqué le diable pour l'arracher des douleurs de ce monde.

Ils célébrèrent le service funèbre. Il y eut un cortège vers le cimetière. Le père Hiboire fit les discours de circonstance, en mettant l'accent là où il fallait. Puis on enterra le vieux curé. Lorsque les convives se réunirent au presbytère et commencèrent à discuter, on apprit que les cloches avaient sonné le glas à minuit dans plusieurs églises.

Personne ne savait si le vieux père Lapie était allé au ciel ou aux enfers, mais tous s'accordaient à dire qu'il avait un soupçon de diablerie dans toute cette histoire.

L'homme d'Anticosti

Adapté de « Le sorcier d'Anticosti »
Jean-Baptiste-Antoine Ferland, 1877

L'île d'Anticosti a été découverte en 1534 par Jacques Cartier qui l'appela Assomption. Ses côtes désertes et inhospitalières n'ont guère changé depuis ce temps. L'île est peu élevée, bordée de récifs et souvent couverte de brume épaisse; c'est une terre dangereuse pour les bâtiments qui entrent dans le fleuve Saint-Laurent ou qui en sortent. L'automne et le printemps, les vents soufflent avec une extrême violence sur la mer voisine; de nombreux naufrages ont rendu l'île tristement célèbre. Elle demeura plus ou moins déserte jusqu'en 1896, quand un chocolatier français du nom de Henri Menier la transforma en réserve de chasse et de pêche. Aujourd'hui, l'île appartient au gouvernement du Québec.

Entre 1810 et 1854, l'île acquit une très mauvaise réputation. Sur le côté sud-ouest de l'île se trouve la grande baie de Gamache aussi appelée Ellis Bay. C'est ce nom de Gamache qui généra tant de frissons à l'époque. Il n'était pas un pilote du fleuve, pas un matelot canadien qui ne connaissait Gamache de réputation. On parlait de lui comme d'un forban, moitié ogre et moitié loup-garou, qui jouissait de la protection spéciale du diable.

On l'aurait vu debout sur un banc de sa chaloupe, commandant au diable d'apporter du vent; un instant après, sa chaloupe faisait vent arrière, les voiles pleines sur une mer plane comme un miroir, tandis que les embarcations autour d'elle étaient immobiles.

Puis on rapporta que, lors d'un voyage à Rimouski, il avait offert un grand souper au démon. Par la suite, avec l'aide de compagnons invisibles, il aurait massacré des équipages entiers pour s'emparer de riches cargaisons.

Et on raconta que, poursuivi par un bâtiment militaire, il avait disparu avec sa goélette au moment où il allait être saisi, ne laissant qu'une flamme bleuâtre valsant sur les eaux.

C'était à cause de cette réputation que la plupart des voyageurs auraient escaladé la citadelle de Québec plutôt que de s'approcher, pendant la nuit, de la maison de Gamache.

Se déroulant sur cinq milles, la baie de Gamache était abritée contre tous les vents sauf ceux du sud. La baie était le seul port de l'île. Sur un coteau qui s'étendait au fond de la baie brillaient, par leur blancheur, des bâtiments groupés en forme de village; il n'y avait là cependant que la maison, les granges et les hangars de Gamache, le maître du lieu. Ils étaient bâtis sur les bords d'une petite rivière qui serpentait au milieu de belles prairies et qui se déversait dans la mer, tout près de la maison.

Louis-Olivier Gamache était un homme tout en cheveux blancs, mais encore vert et vigoureux. Malgré ses soixante-huit ans, il pétait le feu, parlait fort et ferme et s'occupait de ses affaires avec tout l'entrain d'un jeune homme.

Sa maison était un véritable arsenal. Dans la pièce voisine de la porte d'entrée, il y avait douze fusils, dont plusieurs étaient à deux coups. Chargés et amorcés, ils étaient suspendus aux poutres et aux cloisons, au milieu d'épées, de sabres, de piques, de baïonnettes et de pistolets. Chaque chambre, même les mansardes, renfermait au moins trois fusils. De plus, toutes les précautions avaient été prises pour empêcher les étrangers d'entrer sans la permission du maître; toutes les portes et les fenêtres pouvaient être barricadées, permettant de soutenir un siège régulier contre une douzaine d'assaillants.

Il y avait même un canon près du perron, mais celui-ci n'aurait même pas pu faire pouf tellement il était rouillé.

Gamache avait été marié deux fois. Il avait retrouvé sa deuxième femme gelée sur le plancher de la cuisine à son retour d'un voyage de piégeage. Il se cherchait une troisième femme mais sur l'île, à part les canards, les perdrix et les sarcelles…

Il avait quitté ses parents à onze ans pour s'engager comme mousse à bord d'une frégate anglaise. Quand il revint au pays, après avoir servi pendant de longues années dans la marine royale, il rapporta toute l'intrépidité et la rudesse d'un vieux matelot anglais. N'ayant point réussi dans des affaires qu'il avait entreprises à Rimouski, il se fixa sur l'île d'Anticosti, au fond de la baie qui porte son nom.

Gamache aimait l'indépendance. Dans ce vaste domaine qui était le sien, il se livrait à ses occupations favorites : la pêche, la chasse, la navigation. Seul avec sa femme, ses enfants et un serviteur, il passait six mois d'un long hiver sans avoir de rapports avec le reste du monde.

En été, toutefois, des coureurs d'aventures qui n'avaient pas un sens très aigu de la propriété visitaient régulièrement sa baie et sa maison isolée. C'était pourquoi Gamache avait multiplié ses moyens de défense et relié son nom au prestige d'une terreur superstitieuse. Il était le premier à rire des moyens qu'il avait employés pour acquérir sa terrible renommée.

Un soir, en arrivant à Rimouski après un jeûne voulu, il s'était arrêté à une auberge et y avait commandé un souper pour deux personnes à servir dans sa chambre. Quand on lui demanda qui il attendait, il prit un air mystérieux, abaissa la voix et dit qu'il valait mieux pour eux ne pas savoir. Puis, la nuit du souper, il parla pendant près d'une heure, sachant que les serviteurs et l'hôtelier écoutaient derrière la porte. « Mon âme est à toi. Nous allons les tuer tous. Emmène-moi dans les enfers. » Gamache égrenait tout le chapelet de clichés diaboliques tout en dévorant goulûment les deux repas.

Il se cacha ensuite dans une penderie au fond de la chambre. À l'aide d'une ficelle bien dissimulée, il tira sur la porte qui, lentement, grinça et s'ouvrit sur les gens de l'hôtel dont le cœur avait cessé de battre. Ils virent bien que les deux plats avaient été consommés et qu'aucun humain n'aurait pu avaler toute cette nourriture.

Le lendemain matin, tout le canton était informé que Gamache avait passé la veillée avec le diable. Personne dans Rimouski ne mettait en doute que le sorcier d'Anticosti avait des rapports intimes avec sa majesté satanique.

De temps à autre, Gamache visitait les Montagnais de la Côte-Nord pour traiter avec eux. Or, la compagnie des postes du Roi prétendait avoir le privilège exclusif du commerce des pelleteries au nord du Saint-Laurent et maltraitait les caboteurs qui s'aventuraient sur ses prétendus domaines.

Mais Gamache était l'ennemi déclaré des monopoles; dans les courses qu'il entreprenait avec sa goélette, légère et fine voilière, il affirmait son droit de trafiquer avec le monde entier.

Comme il aimait à faire les choses franchement, il allait étaler ses marchandises à la barbe des employés de la compagnie dont il méprisait les menaces, même s'ils étaient plus forts, plus nombreux.

Un jour que sa goélette était mouillée à Mingan au milieu d'un cercle de canots montagnais et que le trafic allait rondement, une voile apparut au loin et semblait se rapprocher vite. L'œil exercé du vieux loup de mer reconnut un bâtiment armé dont il avait éludé la poursuite à plusieurs reprises.

Gamache leva l'ancre aussitôt et, pendant que l'ennemi courut une bordée pour fondre sur lui, la flotte de canots amérindiens disparut et la goélette glissa rapidement hors du port, toutes voiles déployées. Le croiseur se mit à sa poursuite, espérant la rejoindre bientôt; mais Gamache était habile pilote et réussit à conserver l'avance prise au départ. Cependant, avec la nuit tombante, les deux bâtiments ne furent plus que deux ombres perdues sur la surface des eaux.

Gamache en profita alors pour construire un petit radeau et faire croire aux poursuivants qu'ils couraient après un feu follet. Gamache enflamma les tisons dans un baril de goudron qu'il cloua solidement au radeau, puis il descendit le radeau-phare avec précaution à la mer.

Tandis que les poursuivants mettaient le cap sur le « feu follet », Gamache retourna à Mingan où il ancra tranquillement sa goélette au milieu des canots montagnais.

Grande fut la déconvenue des officiers du croiseur quand, après une chasse prolongée, ils arrivèrent à un petit feu qui semblait se nourrir des eaux de la mer. La poursuite fut continuée au hasard vers le sud, avec pour seul résultat que les matelots étaient persuadés que Gamache s'était échappé sous la forme d'un feu follet.

Grande aussi fut la surprise des commis de Mingan lorsque, le matin du jour suivant, ils aperçurent la goélette chassée la veille, tranquillement mouillée à la place qu'elle avait occupée quelques heures auparavant.

C'est ainsi que naquit la légende du sorcier Gamache, une légende construite de toute pièce pour qu'un homme seul sur une île puisse y vivre en paix. C'était un peu comme s'il avait accroché une pancarte « sorcier dangereux » au lieu de « chien méchant » devant sa porte.

Au mois de septembre 1854, Louis-Olivier Gamache mourut comme sa seconde femme, seul et sans secours, dans sa maison blindée.

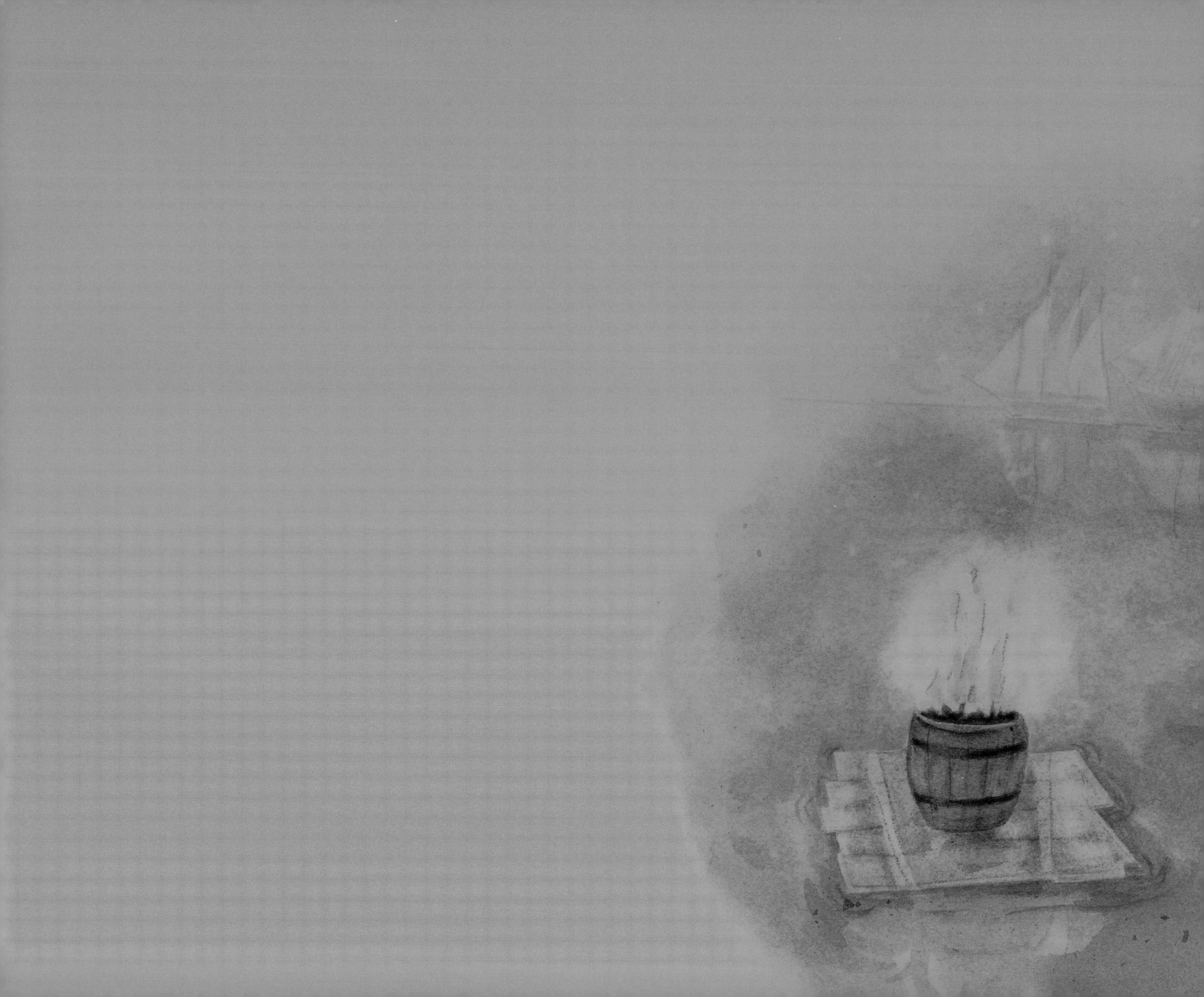

La sorcière de l'île

Conte inédit de Michel Savage
2006

Bien des navires égarés dans le brouillard se sont fracassés contre les hauts-fonds et les récifs de l'île Bonaventure située au large de Percé, à la pointe de la péninsule de la Gaspésie. Au début du XIXe siècle, il restait sur l'île et dans les eaux avoisinantes d'innombrables traces de ces naufrages.

Depuis 1520, des baleiniers basques venaient pêcher dans les eaux du golfe du Saint-Laurent. Au début du XIXe siècle, un bateau de pêche basque était ancré à quelques encablures du rivage de l'île Bonaventure, dans dix mètres de profondeur. L'équipage profitait de la mer calme de l'été pour faire les réparations qui s'imposaient avant le retour au pays. Les marins de l'époque étaient aussi superstitieux que ceux du temps des premiers voyages d'exploration de Jacques Cartier. Or, on disait de cette île au large des côtes de la Gaspésie qu'elle était hantée et portait malheur à tous ceux qui s'y aventuraient.

Faisant fi de ces histoires qu'il trouvait loufoques, Otchoa Athekaitze-takomalgorrak, surnommé l'Athée, décida de débarquer sur l'île pour se délier les jambes. Un matin, à l'aube, alors que ses équipiers cuvaient leur vin, il se glissa dans la barque qui avait été mise à l'eau pour réparer le bordé du navire et rama tranquillement vers le rivage.

En s'approchant, il assista à un spectacle époustouflant : l'île était recouverte de millions de gros oiseaux à tête jaune et au grand bec, des fous de Bassan. Le côté est de l'île était une haute falaise dont chaque interstice était habité par un fou. Il y en avait tellement qu'on ne pouvait distinguer la roche rougeâtre qui formait le sol de l'île. Les oiseaux piaillaient et criaient à qui mieux mieux. Les excréments des fous et les poissons en décomposition empestaient l'air. Mais l'Athée ignora l'odeur putride : il avait hâte de se délier les jambes sur la terre ferme.

Il contourna l'île et se rendit du côté ouest où une plage entourée de petits arbres pouvait lui servir de débarcadère. De là, il pourrait grimper jusqu'au sommet de l'île. Il attacha sa barque avec soin pour empêcher la marée de l'emporter, puis entreprit son exploration.

Au détour d'un sentier, il aperçut du coin de l'œil un objet insolite dans les broussailles. Il se pencha et vit un morceau d'épave, sans doute une partie de l'étrave d'un ancien voilier. Examinant l'assemblage des pièces, il conclut que le morceau devait provenir d'un grand navire. Avec les mains, il enleva le sable qui était collé à la pièce grande comme un homme. Il discerna un dessin et même des couleurs. Il s'agissait d'un bouclier portant les armoiries du propriétaire du navire, un bouclier noir au centre duquel il y avait une tête dorée d'aigle. Il se dit alors que ce navire avait dû appartenir à quelque famille noble.

L'Athée poursuivit son chemin en se demandant s'il allait découvrir d'autres vestiges de naufrages. Peut-être y avait-il un trésor sur l'île. Il sourit.

Au fur et à mesure qu'il grimpait, l'air fraîchissait et la clameur des milliards d'oiseaux semblait s'atténuer. Arrivé au sommet de la falaise, il s'arrêta, déçu de ne pouvoir se régaler du paysage, car un brouillard froid et opaque s'était levé. Il grelotta. L'air s'était considérablement refroidi.

Il s'aperçut que les oiseaux s'étaient tus : un silence bizarre s'était installé. Plus un cri, plus un froissement d'ailes. Les oiseaux autour de lui étaient figés comme des statues. Seuls leurs yeux se déplaçaient de gauche à droite et de bas en haut, comme s'ils surveillaient un prédateur tout proche.

L'Athée sentit le désarroi s'emparer de lui. Une peur inexplicable lui serrait la gorge. Quelqu'un l'appela et il se retourna vivement. Son cœur cessa de battre et sa respiration se suspendit.

Devant lui, à quelques mètres, se tenait une femme extraordinairement belle, vêtue d'une robe ornée de dentelle et coiffée d'un chapeau du siècle passé. Bien qu'il n'y eût point de vent, pas même une légère brise, les cheveux blonds de la dame flottaient. Son visage radieux arborait un sourire à faire frémir même le moine le plus endurci, et de ses yeux bleus émanait une douceur à apaiser le diable en personne.

— Good morning, sir, dit-elle en appuyant longuement sur le r de « sir ».

Il comprit qu'elle devait être britannique mais ne pouvait s'expliquer sa présence dans un tel lieu, habité seulement par des fous de Bassan et des cormorans.

Pris de panique, l'Athée eut un mouvement de recul involontaire et perdit pied.

Il tomba de la falaise et, après de longues secondes de chute dans le vide, il sentit l'eau froide l'envelopper. Il réussit à refaire surface et nagea à toute épouvante vers son navire. Ses compagnons le hissèrent à bord et le pressèrent de questions. De peur de passer pour un fou, il dit simplement qu'il avait perdu pied et était tombé à la mer. On alla chercher la barque et on ne parla plus de cette histoire.

Au cours de la soirée, l'Athée but beaucoup trop de rhum et sa langue se délia. Complètement soûl, il tenta d'expliquer sa vision malgré les rots et les hoquets qui ponctuaient son monologue incohérent.
— Une fille… une belle belle fille, sur l'île… hantée, balbutia-t-il.

Ses compagnons s'esclaffèrent.
— Anglaise… et… et tête d'aigle, épave que j'ai… j'ai vue.

Alors les hommes cessèrent de rire et leur visage s'assombrit.

Ces hommes savaient que plusieurs îles du Nouveau Monde étaient hantées, probablement à la suite des nombreux naufrages qui s'y étaient déroulés. Ils conclurent que l'Athée avait vu le spectre d'une femme déguisée en aigle.

Au matin, le baleinier basque leva l'ancre et prit la direction des Vieux Pays.

La légende de la sorcière, aussi appelée « Gougou », se répandit parmi tous les marins des deux côtés de l'Atlantique. Mais ce que l'Athée et ses compagnons ne savaient pas, c'est qu'une petite colonie écossaise était venue s'installer sur l'île Bonaventure. La jeune fille aux cheveux blonds n'était pas une apparition, mais une belle Écossaise en chair et en os.

Dix ans plus tard, un corsaire anglais prit possession de l'île et en chassa tous les habitants. Pour éviter les visites inopportunes, il répandit la légende de la sorcière à tête d'aigle en insistant sur sa cruauté impitoyable.

Carib et Silla

Inspiré de « Les sirènes de mer »
Anselme Chiasson, 1969

La légende des sirènes remonte à l'Antiquité grecque, il y a de cela plus de quatre mille ans, alors qu'Ulysse était engagé dans sa fabuleuse odyssée en mer Méditerranée. Ces êtres à corps de femme et à queue de poisson avaient la réputation d'attirer sur les récifs les marins qui écoutaient leur chant envoûtant. Pour éviter d'être charmé par leur voix mélodieuse, on devait se boucher les oreilles avec de la cire et poursuivre sa route, sinon, c'était la mort par naufrage.

On n'avait encore jamais entendu parler de sirènes dans le fleuve Saint-Laurent jusqu'au jour où deux Gaspésiens, Silla Fallu et Carib Oitreault, devenus vieux et incapables de prendre la mer, racontèrent leur histoire. Ils avaient décidé qu'il ne leur restait plus grand temps à vivre et qu'ils devaient dévoiler ce qu'ils savaient.

Quarante ans plus tôt, Carib et Silla étaient partis un beau matin sur leur barque pour pêcher la morue au large de Marsoui sur la péninsule de la Gaspésie.

C'était une journée parfaite : temps clair, mer calme, ciel sans nuage. Ils firent voile jusqu'aux grands fonds et là, ils appâtèrent leurs lignes et attendirent. Il n'y avait pas grand-chose à faire pendant ces longues journées : fumer une bonne pipe, remonter les lignes, dégager les prises, réappâter les hameçons, puis attendre.

Leur journée n'ayant pas été fructueuse, Carib et Silla décidèrent de continuer à pêcher jusque dans la nuit, même si celle-ci s'annonçait fraîche. Le soleil se coucha et les étoiles apparurent. Silla eut alors des sifflements dans les oreilles.
— C'est bizarre, mes oreilles bourdonnent. T'entends rien, toi ? demanda-t-il.

Carib entendait lui aussi un souffle dans ses oreilles.
— Dis donc, Carib, ce n'est plus juste le vent que j'entends, c'est… comme une fille qui chante, fit Silla.

Pour toute réponse, Carib lui tendit une bouteille de rhum que l'on apportait toujours à la pêche pour se réchauffer. Ils burent de grandes lampées. Puis, instinctivement, Silla toucha à la croix qu'il portait sur sa poitrine, juste au cas.

Soudain, un grondement sourd se fit entendre dans la barque, brisant la féerie du moment.

— Ça, c'est moi qui viens de péter, dit Silla. Ils éclatèrent de rire et décidèrent alors de retourner chez eux.

Il n'y avait pas la moindre brise et ils durent mettre les rames à la mer. Le courant les avait fait dériver de quelques milles en aval et le chemin de retour serait long. Ils pointèrent la proue vers le rivage qui n'était plus qu'une ligne droite à l'horizon.

Carib cessa de ramer et dit :
— Écoute mon vieux, j'entends la mer qui se brise contre des récifs.
— Mais il n'y a aucun récif par ici ! s'exclama Silla.
— Tourne-toi, dit Carib.

Devant la proue du bateau, à une centaine de mètres, la mer était agitée comme si les courants marins rencontraient des obstacles sur leur passage. Il y avait des tourbillons, des bulles, même un peu d'écume de brisants.

Cette fois, les deux pêcheurs furent saisis de peur.

Ils entendirent la délicate mélodie d'un chant des plus gracieux. Tout autour d'eux, la mer chantait comme au rythme des aurores boréales. Des chansons diaphanes, mystérieuses, dans lesquelles on pouvait distinguer des mots précis, répétés par un écho mystique.
— Toi, toi, toi, viens, viens, viens, homme, homme, homme, mer, mer, mer…

Le canot glissa rapidement jusqu'à l'entrée du chenal. Ce fut alors que, malgré les puissants coups d'aviron de Dargis, le canot s'immobilisa sans raison apparente. Tout brave qu'il était, le bonhomme sentit la frayeur l'envahir.

Surgissant d'un coin de sa mémoire, les histoires de feux follets s'y bousculèrent. Tout le monde disait – savait – que les feux follets habitaient l'eau profonde. Si un marin avait l'audace, l'inconscience, de traiter ces esprits malins de « culs grillés », toute la troupe s'unissait pour projeter son canot de l'autre côté du fleuve.

Bah ! se dit Dargis qui n'était pas superstitieux, ce ne sont là que des contes à dormir debout. Et pour prouver la justesse de sa conviction, de sa voix de stentor il répéta trois fois les mots interdits :

— Culs grillés. Culs grillés. Culs grillés.

Sa luette vibrait encore dans sa gorge quand il vit un feu follet danser à l'avant de son canot.

Yeux exorbités et bouche bée, Dargis regarda le feu follet s'étirer vers lui. D'un soufflet, l'esprit malin le renversa et lui fit perdre connaissance. À son réveil, Dargis se rendit très vite compte qu'il avait traversé le fleuve. Il n'était plus qu'à une trentaine de mètres du moulin.

Lorsqu'un insolent insultait des feux follets, il subissait leur emprise jusqu'au matin. Par conséquent, Dargis ne put avant l'aurore ni déplacer un seul minot de blé ni marcher jusqu'au moulin. Par ailleurs, il avait le visage tuméfié et des douleurs au corps qui ne disparurent qu'au lever du jour.

Après sa mésaventure sur le fleuve, Dargis, que rien n'effrayait jusqu'alors, ne sortait plus la nuit et s'effarouchait facilement. Une fois, il fut retenu malgré lui à Bécancour. Pour regagner sa demeure, il devait parcourir dix kilomètres à la noirceur, en empruntant un chemin à travers la forêt. Il marchait d'un pas rapide, repoussant les mille et un fantômes qui hantaient son imagination.

Au plus profond des bois, sa récente rencontre avec les feux follets lui revint toute fraîche à la mémoire. Il se rappela alors que ces esprits malins, cruels, menteurs et moqueurs, habitaient aussi la forêt. Ils égaraient leurs victimes dans les bois, à de grandes distances de leur maison, ou les amenaient dans une impasse, puis disparaissaient l'aurore venue.

Dargis accéléra le pas, courant presque. Sentant une présence toute proche, il se retourna et aperçut un animal qui le talonnait. La bête avait la corpulence d'un homme couvert de longs poils, au regard honteux mais aux yeux flamboyants comme les feux de l'enfer. Épouvanté, Dargis prit ses jambes à son cou et la bête en fit de même. À plusieurs reprises, la bête effleura de son nez visqueux les talons du fuyard. À bout de souffle, Dargis s'arrêta et la bête l'imita.

La peur qui tiraillait Dargis s'éclipsa soudainement. Il s'aperçut alors qu'il avait affaire à un loup-garou. Il fit ce qu'il convenait de faire en pareille occurrence : il se signa dévotement et, d'un coup de couteau, tira une goutte de sang du nez de la bête. Aussitôt, le loup-garou reprit sa forme humaine. Dargis se retrouva face à face avec l'une de ses connaissances qui n'avait pas assisté à une messe depuis sept ans. Le diable s'était emparé de l'homme, le condamnant à errer toutes les nuits jusqu'aux premières lueurs du jour.

Seule la femme de l'homme était au courant de la malédiction qui pesait sur son mari, mais elle ne pouvait en parler à personne, pas même au curé. Dargis, qui était un dévot, força l'homme à se confesser, puis le ramena à son épouse.

Par une belle nuit étoilée, souffrant d'insomnie, Dargis se berçait en regardant le fleuve. Il sentait le sommeil le gagner quand, tout à coup, un grand canot traversa le ciel au-dessus de l'eau qui miroitait sous les rayons de la lune. Oubliant sa peur de la noirceur, il se précipita dehors et eut le temps d'apercevoir des formes noires qui ramaient en cadence, sur un air qui écorchait les tympans.

Un corps de cavalerie poursuivait le canot qui volait à la vitesse de l'éclair. Les yeux grands comme des soucoupes, Dargis distingua les chevaux mais pas les visages des cavaliers. Ces derniers opéraient des mouvements si vifs qu'ils étaient presque insaisissables. Bien que chevauchant à une grande hauteur, ils ébranlaient tellement l'air que Dargis crut que les étoiles allaient lui tomber sur la tête. Un instant après, la vision disparut comme elle était venue, ne laissant derrière elle qu'une forte odeur de soufre.

Le lendemain, Dargis raconta la scène hallucinante qui s'était déroulée au-dessus du fleuve, peu après minuit. Les villageois l'écoutèrent, certains en hochant la tête, d'autres en levant les yeux au ciel et d'autres encore, en se signant spontanément. Quelqu'un murmura « chasse-galerie », un mot qu'il avait entendu dans la région de Montréal.

Personne n'avait vu le canot volant et son cortège sinistre. Personne, sauf Dargis qui semblait attirer toute la gent ténébreuse des rives du Saint-Laurent.

Quand Dargis mourut à un âge vénérable, on découvrit chez lui plusieurs sacs en peau d'orignal, décorés de motifs amérindiens, contenant un étrange tabac qui dégageait une odeur sucrée. On crut alors que c'était ce tabac, probablement obtenu des Amérindiens, qui avait transformé le bonhomme en halluciné.

Les deux meuniers

Inspiré de « La légende des vieux moulins »
G.R. Talbot, 1933

Au XIXe siècle, les deux moulins à vent de Repentigny se dressaient fièrement de chaque côté du chemin du Roy. En ce temps-là, les deux meuniers, François et Narcisse, qui profitaient du souffle d'Éole pour moudre leur blé pouvaient se souhaiter le bonjour du haut de leur tour respective.

Les deux hommes étaient veufs et avaient chacun un unique enfant. Tristan était le fils de François et Juliette la fille de Narcisse. Lorsque les deux enfants furent en âge de s'aimer, on se plut à dire qu'ils formaient un couple bien assorti et que leur union ferait le bonheur des deux pères vieillissants.

Tout le monde croyait, en effet, que les meuniers s'entendaient comme des frères puisque la vie de l'un était en tout point semblable à celle de l'autre. Les deux hommes avaient le même âge. Ils s'étaient tous deux mariés la même année, à quelques semaines d'intervalle, et leur femme avait rendu l'âme en donnant naissance à leur unique enfant, le même jour et à la même heure.

En fait, les deux meuniers nourrissaient une rivalité empreinte d'animosité – pour une raison enfouie au fond de leur mémoire – qui brima les deux enfants jusqu'à leur adolescence. En public, les meuniers permettaient aux enfants de parler et de jouer ensemble, mais en privé, ils leur interdisaient formellement de se fréquenter.

Ne voulant pas déplaire à leur père, qui autrement comblait tous leurs désirs, Tristan et Juliette se retrouvaient en cachette la nuit et passaient des heures à contempler le ciel et à se raconter des histoires. Dès leur plus tendre enfance, ils avaient pris l'habitude de s'asseoir sur la grève, adossés à un vieux tronc d'arbre que la tempête avait déposé un soir. Juliette s'endormait parfois, la tête posée sur l'épaule de Tristan. Le garçon embrassait alors le front de la petite, mais elle ne s'éveillait qu'au bout du troisième baiser.

Puis le temps passa. L'amitié des deux enfants s'était renforcée au même rythme que l'animosité des deux pères. Tristan devint bientôt un beau grand jeune homme et Juliette une magnifique jeune fille aux formes gracieuses. Adossés à leur tronc d'arbre, ils désespéraient de voir le jour où leurs deux pères se serreraient la main comme eux-mêmes le faisaient en ce moment. Et quand un soir Juliette s'endormit sur son épaule, Tristan déposa un baiser sur son front, puis un autre sur son nez, puis un dernier sur ses lèvres.

Les deux adolescents s'embrassèrent tendrement. Leurs lèvres tremblaient et leur cœur battait la chamade. Après ce long baiser, tous deux se dirent mutuellement : « Je t'aime. »

Dès ce moment, Tristan et Juliette surent que le temps était venu d'avouer leur amour aux deux pères. Et quand ils le firent, les deux meuniers s'emportèrent :

— Fils indigne, menteur, vicieux, criait François du moulin du coteau nord.

— Fille indigne, menteuse, vicieuse, vociférait Narcisse du moulin du coteau sud.

— Qu'est-ce que j'ai fait, calvinsse, pour mériter une telle ingratitude ! se lamentaient en chœur les deux meuniers courroucés.

Au petit jour, Tristan et Juliette avaient disparu. François et Narcisse cherchèrent leur enfant partout dans les alentours. En dernier recours, ils s'élancèrent l'un vers le moulin de l'autre et se rejoignirent au milieu du chemin du Roy qui séparait les deux moulins comme une frontière infranchissable. Ils se comprirent sans échanger un mot.

— La barque, s'écria Narcisse.

Et tous deux se précipitèrent sur la grève. La barque s'était envolée, elle aussi. Les deux pères coururent jusqu'à la maison la plus proche pour annoncer la disparition des adolescents. Le voisin leur offrit immédiatement sa barque et s'empressa d'alerter les gens du village pour organiser des recherches.

Dans un élan spontané de solidarité, tous les habitants de Repentigny et des environs mirent leurs chaloupes à l'eau et ratissèrent en vain les îles les plus proches. Aucune trace de Tristan, de Juliette ou de la barque. Le lendemain, ils poursuivirent les recherches autour des îles les plus éloignées et jusqu'à Verchères, sans plus de succès.

De leur côté, François et Narcisse n'avaient pas abandonné. Ils avaient ramé deux jours entiers, sans manger, sans dormir. Ils ne se parlaient toujours pas, mais dans leurs yeux se lisaient la même culpabilité et la même détresse. Lorsque l'un soupirait ou baissait les bras, l'autre lui donnait une petite tape sur l'épaule.

Au bout de trois jours, les deux pères trouvèrent la barque échouée aux abords de l'île à la Bague. Ils en conclurent que Tristan et Juliette s'étaient noyés et que la barque avait dérivé jusque-là. Ils se donnèrent l'accolade pour la première fois de leur vie et pleurèrent chaudement la perte de leurs enfants adorés.

Sur le chemin du retour, à bout de force, les deux meuniers cessèrent de ramer. Devant la proue de la barque émergèrent deux corps diaphanes : Tristan et Juliette se tenaient par la main et souriaient. Les deux pères tendirent leurs bras vers eux.

— Pères, ne pleurez plus. Promettez-nous de faire la paix pour que nous puissions nous aimer dans le trépas, dirent les apparitions.

— Nous vous le promettons.

Alors Tristan et Juliette s'approchèrent des deux pères et tous les quatre unirent leurs mains pendant un bref instant. Puis les apparitions s'évanouirent, en laissant les deux hommes mains dans les mains.

À l'aube, en débarquant sur la grève, les deux meuniers trouvèrent le corps des deux adolescents adossés contre le vieux tronc d'arbre, se tenant par la main. La tête de Juliette reposait sur l'épaule de Tristan et les lèvres de Tristan étaient rivées sur le front de la jeune fille.

Depuis cette tragédie, François et Narcisse vécurent harmonieusement, comme deux vieux frères qui finissent paisiblement leur vie ensemble. Mais les regrets et les remords eurent raison d'eux. À la date anniversaire de la disparition de leurs chers enfants, ils s'assirent sur la grève, adossés contre le vieux tronc, et sombrèrent dans un sommeil sans lendemain.

Cécile et le feu follet

Conte inédit de Germaine Adolphe
2006

Dans les années 1920, le mouvement de colonisation et d'exploitation forestière avait progressé jusqu'en Abitibi. Un grand nombre de colons, accompagnés de leur famille, de leurs animaux et bien sûr du curé, s'y installèrent pour déboiser, défricher et cultiver les terres vierges.

Pour garder tout ce beau monde dans le droit chemin, le curé de Val d'Or recourait aux superstitions, une méthode éprouvée depuis la nuit des temps. Selon lui, si on n'allait pas à la messe pendant sept ans, on devenait un loup-garou, et après quatorze ans, un feu follet. En bons paroissiens, les parents transmettaient les menaces du curé à leur progéniture, au même titre que les recettes de cuisine et les bonnes manières.

La petite Cécile et ses deux frères avaient une mère avant-gardiste qui ne croyait pas à l'éducation par la terreur. Elle leur avait certes raconté toutes les histoires de créatures fantastiques – dont celles du loup-garou que Cécile appelait « loup-galoup » – afin qu'ils ne soient pas en reste avec leurs camarades, mais elle en omettait soigneusement tous les détails sanglants.

La petite Cécile, qui avait à peine cinq ans, était surtout intriguée par les feux follets. La plupart des parents terrorisaient leurs enfants en affirmant que c'était le sort qu'on leur destinait s'ils désobéissaient. Mais la mère de Cécile disait qu'il s'agissait plutôt d'âmes d'enfants morts à cause de leur ignorance des lois de la nature, par exemple, des enfants qui étaient sortis jouer la nuit tandis que rôdent les bêtes sauvages.

Un soir, Cécile trouva une petite grenouille dans la poche de sa robe. La grenouille était inerte, mais son corps était tiède. L'enfant déposa la petite bête sur sa table de chevet, la recouvrit d'un mouchoir pour la tenir au chaud, puis lui murmura :
— Fais dodo petite grenouille. Demain, je te ramènerai à ta mare.

Durant la nuit, un petit coassement tira Cécile de son sommeil. Elle ouvrit les yeux et vit la petite grenouille qui la regardait, suspendue dans les airs, à quelques centimètres au-dessus de sa tête. Croyant rêver, elle se frotta les yeux.
— S'il te plaît, ramène-moi, lui dit la grenouille.

Cette fois, Cécile se pinça le bras. Elle n'avait pas entendu la grenouille parler : elle avait « capté » le message dans sa tête.
— Pas maintenant. À cause du loup-galoup, lui répondit-elle, toute peinée.
— N'aie crainte, je sais comment le déjouer, fit la grenouille.

Sans un bruit, la fenêtre s'ouvrit d'elle-même et l'arbre qui lui faisait face étira une branche jusqu'à Cécile. Mue par une force invisible, l'enfant enfourcha la branche qui, aussitôt, se retira de la pièce et se courba doucement jusqu'au sol.

Cécile suivit la grenouille qui avançait à grands bonds. À l'entrée du bois, un hurlement plaintif se fit entendre, suivi de bruits de pas furtifs. L'enfant tressaillit et cria :
— Le loup-galoup !

Effectivement, une créature poilue surgit du fourré et se planta devant la petite fille toute épeurée. La grenouille se dressa sur ses pattes de derrière et dit à la bête :
— Laisse-nous passer, la grande lumière nous attend.

La créature courba son cou et repartit sans protester.

Cécile suivit la grenouille, en se demandant quelle sorte de « lumière », aussi grande fût-elle, pouvait effrayer un loup-garou. L'enfant et la grenouille arrivèrent bientôt à la mare. Des nénuphars recouvraient la surface de l'eau glauque et sur chacune de leurs feuilles dansait une petite lumière rougeoyante.

Ébahie, la petite Cécile s'écria :

— Des feux follets !

Au même moment, la grenouille sauta dans sa main et disparut telle une bulle qui éclate. À la place du batracien se trouvait maintenant, dans sa menue main, une jolie lumière bleue. Puis toutes les autres lumières s'élevèrent au-dessus des nénuphars et se mirent à bourdonner en voltigeant vers Cécile.

Alors la lumière bleue que l'enfant tenait au creux de sa main dit :

— Ne les laisse pas m'entraîner; cache-moi.

Sans poser de question, Cécile joignit ses mains pour enfermer la grenouille devenue lumière. Les feux follets tournoyaient maintenant de plus en plus vite autour de la tête de l'enfant qui resta parfaitement immobile. Pour ne plus entendre les bourdonnements, Cécile ferma les yeux et se mit à fredonner sa berceuse préférée.

Au bout d'un moment, les feux follets abandonnèrent leur ronde infernale et filèrent dans toutes les directions. Cécile sentit la terre se dérober sous ses pieds et se laissa tomber doucement sur le sol, s'endormant au son de sa propre voix.

Quelques heures avant l'aube, l'enfant se réveilla et ouvrit ses mains. La lumière bleue s'était évanouie. À sa place se trouvait de nouveau la petite grenouille qui coassa puis dit :

— Je m'appelle Gaston et j'ai quinze ans. Un soir, en rentrant de ma journée de travail, je vis un lapin à l'orée du bois. Je tentai de le capturer mais l'animal détala dans les fourrés comme s'il avait le diable à ses trousses. Au bout d'un moment, me rendant compte que le soleil se couchait, j'abandonnai la poursuite et retournai à la hâte sur mes pas.

J'avais beau courir en ligne droite, je me retrouvais toujours ici, en bordure de cette mare grouillant de grenouilles. Au lever de la pleine lune, toutes les grenouilles disparurent et une nuée de gros bourdons lumineux m'assaillit. Je m'enfuis à toutes jambes mais les maudits ne me lâchèrent pas. Devant moi, je vis des ornières se creuser spontanément, des racines surgir du sol comme des vers de terre géants, des branches se courber à la hauteur de ma tête, des cloaques se former ici et là. Je tombais, je trébuchais, je m'embourbais. Puis je sentis une brûlure dans mon cou et je perdis connaissance.

À mon réveil, je constatai avec horreur que j'étais une grenouille accroupie sur une feuille de nénuphar. Un coassement sortit alors de ma gorge, si puissant que j'en perdis l'équilibre et tombai à la renverse dans l'eau verdâtre. Depuis, je suis une grenouille qui se transforme à minuit en jeune feu follet, d'où ma teinte bleutée. À la prochaine pleine lune, c'est-à-dire la nuit prochaine, je deviendrai un feu follet flamboyant pour l'éternité.

La grenouille cessa de parler, les yeux humides. Cécile lui demanda alors :
— Si tu es un feu follet, c'est donc que tu es mort ?

La grenouille lui fit non de la tête et lui expliqua :
— La plupart des feux follets sont des âmes de défunts gouvernées par le mal. Les nuits de pleine lune, tous les feux follets unissent leurs forces pour former la « grande lumière » contre laquelle aucune créature de la forêt ne peut se mesurer, d'où la terreur du loup-garou que nous avons croisé. Et lorsque la « grande lumière » brûle un être vivant, comme ce fut mon cas, la victime devient un feu follet accidentel.
— Comment puis-je t'aider ? demanda alors la petite Cécile toute attristée.
— Si un enfant à l'âme pure prend pitié d'un feu follet accidentel et le ramène parmi les siens, celui-ci reprendra son apparence humaine.
— J'ai pitié de toi, Gaston. Dis-moi où tu vis et je t'y amènerai, murmura Cécile à l'oreille de la grenouille.

Avant l'aube, l'enfant déposa la grenouille sur le perron de la demeure de Gaston et s'empressa de rentrer chez elle pour y être au lever du jour.

Le lendemain, toute la paroisse était en liesse : Gaston, le brave bûcheron, avait enfin retrouvé le chemin de sa maison.

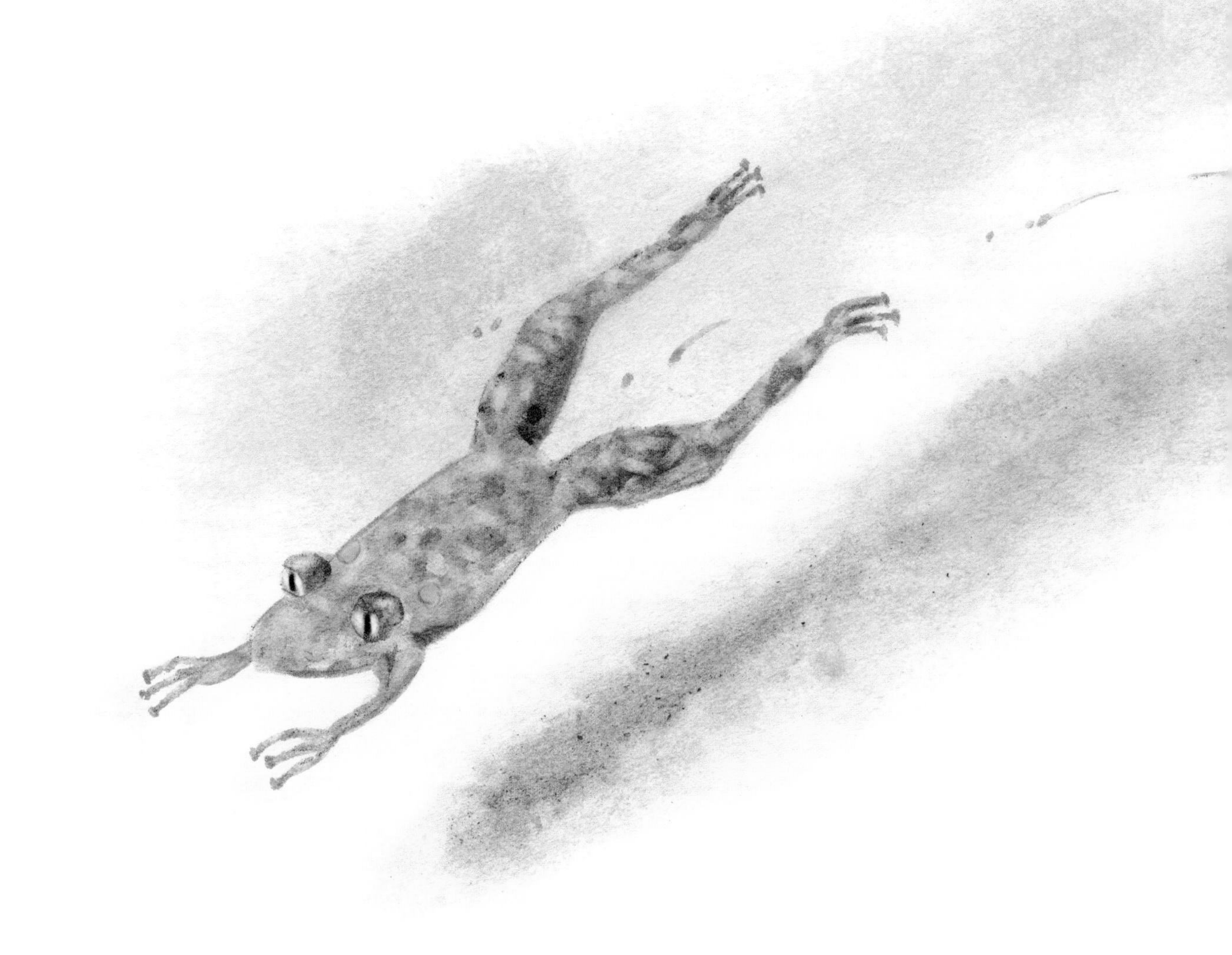

Le débiteur fidèle

Adapté de « Le débiteur fidèle »
Louis-Auguste Olivier, 1845

Un pêcheur et sa femme vivaient avec leur jeune garçon dans une modeste cabane bâtie sur la pointe du Lac, à l'extrémité nord-est du lac Saint-Pierre. Les temps étaient durs et, en dépit d'un labeur assidu, le pêcheur avait peine à nourrir sa famille.

Pierre sortait souvent la nuit pour pleurer. Un soir, assis sur le sable de la rive, il se mit à siffler un air triste et lent. Aux premières notes, sa femme sortit de la cabane et vint s'asseoir près de lui. En posant la main sur l'épaule de son mari, elle dit doucement :
— Pierre, pourquoi ce chagrin, ce découragement ? Retourne voir le père Dumont. Il nous a toujours aidés et nous aidera encore lorsqu'il saura que la pêche a été mauvaise malgré ton travail continu.
— Je connais son cœur, mais je n'oserai me présenter devant lui avant d'avoir remis ce que je lui dois déjà, répondit Pierre en soupirant.
— Je t'accompagnerai. J'ai été élevée dans sa maison, il m'en coûtera moins qu'à toi de lui parler. Nous n'avons pas le choix. Pense à notre fils.
— Marguerite, pour notre enfant, j'irai; mais ce sera la dernière fois.

Le lendemain, Pierre débarqua d'une chaloupe qu'il tira sur la grève des environs de Trois-Rivières. Il revêtit un gilet de drap bleu et s'avança vers une maison proche de la rive. Sur l'indication des domestiques, il se dirigea vers un champ au milieu duquel se dressait un gros orme qui servait à abriter les moissonneurs pendant leur repas. Dumont était assis au pied de l'arbre et les autres formaient un demi-cercle devant lui.

Antoine Dumont était connu pour son amour du travail et surtout pour sa générosité. Sa femme, morte depuis plusieurs années, ne lui avait laissé qu'un fils, Charles, et une fille mariée à un riche marchand de pelleteries de Trois-Rivières. La bourgeoisie le nommait M. Dumont tandis que les pauvres qu'il avait secourus l'appelaient le père Dumont.

Aussitôt qu'il vit Pierre s'avancer vers lui, Dumont porta la main à son chapeau et le salua. Il s'enquit de la santé de Marguerite et de leur enfant, puis invita Pierre à partager le repas. Après le retour au travail des moissonneurs, Dumont s'adressa de nouveau à Pierre et lui parla avec tendresse de Marguerite qui, orpheline, avait été élevée dans sa maison. Lorsque Pierre lui expliqua le but de sa visite, Dumont s'empressa de retourner à sa demeure.

Dumont donna à Pierre plus qu'il n'en fallait pour subsister jusqu'au printemps, en lui répétant à maintes reprises qu'il devait compter sur lui dans les moments difficiles. Pierre sentit son cœur battre d'émotion et de gratitude. Cet homme d'une bonté infinie avait eu la délicatesse de lui épargner même une allusion aux prêts qu'il lui avait déjà faits. À son départ, Dumont lui présenta amicalement la main et lui souhaita un heureux voyage. Pierre, à son tour, pressa la main de son bienfaiteur et lui dit :
— Mort ou vif, dans trois jours vous me reverrez.

Un an plus tard, le 25 août 1743, adossé contre l'orme au milieu du champ, Dumont présida comme d'habitude au repas du midi de ses employés. Il adressa souvent la parole aux moissonneurs et quelques-uns remarquèrent qu'il le faisait avec plus d'intérêt qu'à l'ordinaire. Lorsque le repas fut terminé, il leur annonça qu'il souhaitait les voir réunis dans sa maison, à quatre heures de l'après-midi.

En quittant le champ, Dumont jeta un long regard sur cette terre qu'il avait défrichée et qui l'avait nourri depuis tant d'années, les blés qu'il avait semés et que l'on récoltait.

Il porta la main à son chapeau et, se découvrant, il regarda encore une fois les moissons, les arbres, puis le ciel.

À quatre heures, tous les employés de la ferme s'étaient réunis dans la première salle de la maison. Dumont se trouvait dans sa chambre, entouré de sa famille, de quelques amis intimes, ainsi que de Marguerite et de son enfant. La chambre, immense, avait vue à l'est et à l'ouest; un lit y était placé au centre de façon que, couché sur ce lit, on pouvait porter ses regards alternativement de l'orient à l'occident.

Dumont causait tranquillement avec sa famille et ses amis quand le prêtre de Trois-Rivières fit son entrée. Dumont vint à sa rencontre, le priant de venir s'asseoir avec lui près d'une fenêtre donnant à l'est, puis il lui dit :

— Mon père, je repassais ma vie et je vous attendais.

Il donna l'ordre de faire entrer les personnes qui se trouvaient dans la première salle. Ensuite, il demanda au prêtre de passer avec lui de l'autre côté de la chambre, celui qui donnait à l'ouest. Il regarda le soleil qui descendait à l'horizon puis, s'adressant à ses enfants, ses amis et ses employés, il dit d'une voix calme :

— Il y a un an et trois jours, Pierre, un honnête et valeureux pêcheur, était venu à moi et j'eus le bonheur de pouvoir lui être utile. À son départ, je me sentis ému; je pensais au danger continuel qu'il bravait pour gagner sa vie et je lui dis de revenir à moi avec confiance. Il me répondit alors ces mots qui se gravèrent ensuite davantage dans mon esprit : « Mort ou vif, dans trois jours vous me reverrez. »

Après une courte pause, Dumont poursuivit :

— Trois jours après son départ, j'étais dans mon champ, à peu près vers cette heure, quand je vis s'avancer vers moi un homme vêtu d'une chemise et d'un pantalon de toile mouillés et salis par le sable et la terre humide; ses cheveux trempés d'eau tombaient sur son visage.

Je reconnus cependant les traits de Pierre et lorsque je voulus lui parler, il me fit signe de garder le silence. « Père Dumont, me dit-il, je viens remplir la promesse que je vous fis à mon départ. » Il me raconta sa mort; comment il s'était noyé en voulant traverser le lac, le soir même de son départ de chez moi. Il me demanda de prendre soin de toi, Marguerite, ainsi que de votre enfant, ce que je fis aussitôt.

Sur ces paroles, Dumont posa un regard bienveillant sur Marguerite et son enfant, tous deux en larmes, puis s'adressant à son propre fils, il ajouta :

— Charles, je te demande à mon tour de respecter la dernière volonté de Pierre, pour l'amour de moi.

Dumont s'adressa de nouveau à tous :

— J'appris aussi que je devais bientôt vous quitter. Pierre m'annonça le jour et l'heure où je devrai vous dire adieu. Dans un an de ce jour, me dit-il, lorsque le soleil disparaîtra.

Dumont cessa de parler, sa fille s'était jetée dans ses bras. Après avoir embrassé ses enfants et avoir dit adieu à ses amis et à toutes les personnes présentes, il offrit sa main au prêtre qui sentit quelques larmes mouiller ses yeux.

Dumont regarda à l'occident. Le soleil approchait de l'horizon. Il dit alors au prêtre :

— Il est temps.

Il s'allongea sur son lit. Le prêtre lui administra les derniers sacrements.

Après avoir entendu la lugubre prière, Dumont ne parla plus. Le soleil avait cessé de briller. Dumont avait cessé de vivre.

Le canot de la dernière chance

Inspiré de « Mon petit pays »
Auguste Panneton, 1933

Chez les peuples du Nord, chaque membre de la famille doit accepter sa part des responsabilités liées à la survie comme la chasse, la cueillette et la cuisine. Quand un homme ou une femme devenait trop vieux, il ou elle n'était plus utile à sa famille et devenait plutôt une charge. Il fallait alors que le vieux ou la vieille quitte le monde des vivants de son plein gré.

Comme le voulait la coutume chez les Amérindiens, les vieux qui sentaient leur fin toute proche devaient s'en aller dans la forêt pour y mourir. Ainsi, Illa Asséneké, vieux comme le monde et sec comme une feuille morte, décida que sa vie avait assez duré. Depuis des lunes et des lunes, il ne servait plus à rien dans la tribu, incapable d'accomplir même les tâches réservées aux enfants. Il était temps qu'il quitte sa famille pour se rendre en un lieu de grande solitude où il rencontrerait l'esprit de la mort, le Manitou-Femme.

Illa quitta sa tente à la barre du jour et, dans son canot, il traversa un vaste lac parsemé de mille îles et échancré de mille baies, aujourd'hui appelé le réservoir Gouin. Après des heures pénibles – pagayer lui demandait une énergie qu'il n'avait plus – il atteignit la rive. Un promontoire recouvert de buissons de cèdre était le lieu qu'il avait lui-même choisi depuis longtemps pour quitter ce monde. C'est ici que jadis, il amenait les femmes de son village pour les séduire.

À la nuit tombante, il fit un feu de quelques branches de cèdre, le dernier feu qu'il lui sera donné de voir. Puis il s'allongea sur le sol humide recouvert de mousse et de lichen, s'enroula dans sa couverture de peau de castor et s'endormit, attendant le voyage vers le Pays des Esprits.

Brusquement, au milieu de la nuit sans lune, le vieillard fut éveillé par les grognements d'une meute de loups affamés qui attendaient que le feu se consume pour se jeter sur lui. Les loups étaient nerveux et tournaient autour de leur proie, la babine dégoulinante, relevée sur des crocs pointus comme des couteaux de chasse.

Illa fut saisi par une peur viscérale. Il n'avait plus la force ni la vigueur pour combattre toute une meute de loups. Bien qu'il fût vieux et sage, il ne put se résoudre à accepter son sort. Il ne voulait pas mourir déchiqueté vivant par les bêtes voraces.

Parcouru de tremblements incontrôlables, regrettant ses forces perdues, il invoqua Mauvais Manitou :
— Si tu me redonnes la vigueur de ma jeunesse, je t'offrirai mon esprit en retour.

Les loups s'immobilisèrent, l'œil perplexe. Puis une voix se fit entendre dans la forêt noire :
— Très bien, je te redonnerai la force de tes vingt ans, mais tu devras tourner la pointe de ton canot vers le soleil levant et pagayer à travers les terres qui s'ouvriront pour te laisser passer. Lorsque tu atteindras le grand fleuve, tu mourras.

Le corps d'Illa se métamorphosa. Ses muscles se gonflèrent, sa peau se détendit et son visage buriné perdit toutes ses rides. Il sentit sa respiration devenir profonde, son cœur battre à tout rompre. Ses cheveux noircirent et ses mains retrouvèrent leur force d'antan.

Témoins de la transformation du vieillard en jeune homme vigoureux, les loups déguerpirent sans demander leur reste.

À l'aube, Illa tourna son canot vers le soleil levant et se mit à pagayer à travers les arbres de la forêt et le granit des montagnes. Il pagaya ainsi pendant deux lunes, ouvrant la terre comme la charrue laboure une terre fertile.

Au début, il fallut pagayer à travers le roc et les racines. Le travail était dur et éreintant, mais Illa le fit avec joie, savourant chaque seconde de jeunesse retrouvée.

Il franchit un endroit qui deviendra plus tard le village de La Tuque puis, s'enfonçant dans les montagnes et les forêts, il creusa une vallée géante qui se remplissait d'eau au fur et à mesure qu'elle se créait.

Peu à peu les montagnes firent place à une plaine vallonnée. Illa pagayait maintenant dans l'argile et s'approchait du fleuve, donc de sa mort imminente et inéluctable.

Pour prolonger le sursis que Mauvais Manitou lui avait accordé, il commença à serpenter à gauche et à droite. Mais malgré tous les détours qu'il fit dans la terre, il finit par atteindre le fleuve, son ultime destination.

Arrivé dans le fleuve, le canot chavira, emportant le faux jeune homme dans les profondeurs de ses eaux froides. Illa était arrivé au bout de son pacte et au bout de sa vie. Son âme allait maintenant errer au-dessus des forêts pour l'éternité.

Voilà pourquoi la rivière Saint-Maurice fait tant de détours avant de se jeter dans le fleuve Saint-Laurent.

Voilà pourquoi il arrive que, de nos jours, des touristes et des campeurs aperçoivent pendant un instant furtif un canot transparent en pleine forêt, là où il n'y a ni lac ni rivière.

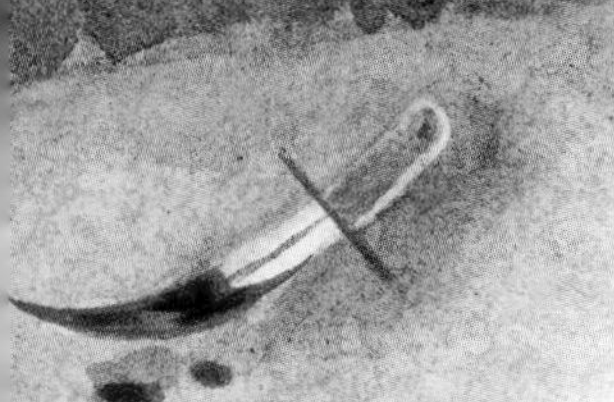

La roche ensanglantée

Adapté de « Le fantôme de La Roche »
Joseph-Philippe Héroux, 1917

Il y a des siècles, Laviolette arrivait à Trois-Rivières pour y bâtir un fort sur la pointe d'un promontoire appelé le « platon ». Pendant que l'on construisait, défrichait et labourait, Laviolette ouvrait un comptoir de traite des pelleteries avec les indigènes. Un jeune Français, Louis, lui servait d'interprète, de secrétaire et d'aide de camp. Instruit, courageux et joli garçon, le jeune homme parlait plusieurs dialectes amérindiens et se montrait habile dans les négociations.

Les indigènes des villages amérindiens échelonnés le long de la Saint-Maurice parcouraient des centaines de kilomètres, à pied ou en canot, pour voir l'installation de Laviolette. Les plus braves allaient traiter avec les nouveaux arrivants mais la plupart, surtout les femmes, se contentaient d'observer, embusqués dans les bois alentour.

Dans l'un de ces villages vivait Samek, une jeune Amérindienne d'une remarquable beauté. Le sorcier d'un village éloigné convoitait Samek. Il offrit des armes et des présents au père de la belle, tout en faisant valoir sa science, ses médecines et son pouvoir. Mais ses discours, teintés de menaces, trahissaient sa bassesse et sa cruauté. Un soir, profitant de l'absence de la jeune fille à qui il n'inspirait que la terreur, le sorcier obtint du père la promesse attendue.

Piquées par la curiosité, Samek et plusieurs compagnes avaient descendu la Saint-Maurice et s'étaient dissimulées près du fort pour voir passer les Français. En dépit de leur cachette, Louis les aperçut et leur sourit.

Ce témoignage émut Samek, elle qui croyait que les Français étaient tous méprisants envers son peuple. Persuadée que ce sourire lui était personnellement adressé, elle le laissa pénétrer dans son cœur pour qu'il s'y grave à jamais. Que ne donnerait-elle pour voir s'épanouir de nouveau ce sourire si doux aux lèvres du jeune Français qu'elle aimait déjà. À son retour dans son village, son père lui annonça la promesse faite au sorcier. Son cœur se déchira. Elle pleura, pria, supplia, mais la chose était décidée, la parole engagée, il fallait obéir.

Folle de douleur, elle s'enfuit du village pendant la nuit. Elle quitta la tente où dormait son père et s'engagea sur le chemin de Trois-Rivières. Son cœur espérait la protection de celui qui lui avait souri et son âme, celle de la religion toute de bonté prônée par les Robes noires. On lui avait assuré que ces hommes donnaient refuge à tous les malheureux. Elle irait donc vers eux.

Elle marcha toute la nuit. Les pierres du chemin meurtrissaient ses pieds et les branches éraflaient son visage.

Elle arriva à Trois-Rivières à l'aube. Timide, elle n'osa pas frapper à la porte du fort. Blottie derrière un arbre renversé, elle attendit que la porte s'ouvrît. À ce tournant décisif de sa vie, d'étranges idées traversèrent son esprit; des souvenirs de choses jusqu'alors ignorées émergèrent.

Selon les sorciers, les Blancs étaient cruels et sanguinaires. Or à Québec, des Amérindiens blessés avaient été soignés, guéris et relâchés. Les Robes noires leur avaient parlé avec chaleur et amour, ils leur avaient dit qu'il existait, au-delà de ce monde, une autre vie sans souffrances où ils pourraient jouir de la paix éternelle. Ils appelaient cela « Aller au ciel ».

Samek décida donc de rencontrer les Robes noires. Elle apprendrait d'eux ces paroles auxquelles elle croyait d'avance. Si l'homme qu'elle aimait la rejetait, elle en mourrait et « irait au ciel ».

Le jour se pointa, beau, clair, plein de soleil. La porte du fort s'ouvrit. La pauvre enfant s'apprêtait à sortir de sa cachette quand un coup violent lui fit perdre conscience. Elle s'effondra sans un cri.

Le sorcier, qui l'épiait sans cesse, avait découvert son secret. Soupçonnant sa fuite prochaine, il la surveillait. Dès qu'il l'avait vue quitter la tente, il était allé réveiller le chef.

— Ta fille est partie, avait-il dit.

— Où est-elle allée ?

— Au fort des Blancs, rejoindre un Français qu'elle aime. Tu m'as trompé, rends-moi mes armes, rends-moi mes présents; mes médecines me vengeront de toi.

— Non, j'ai donné ma parole. Elle sera à toi ou elle mourra.

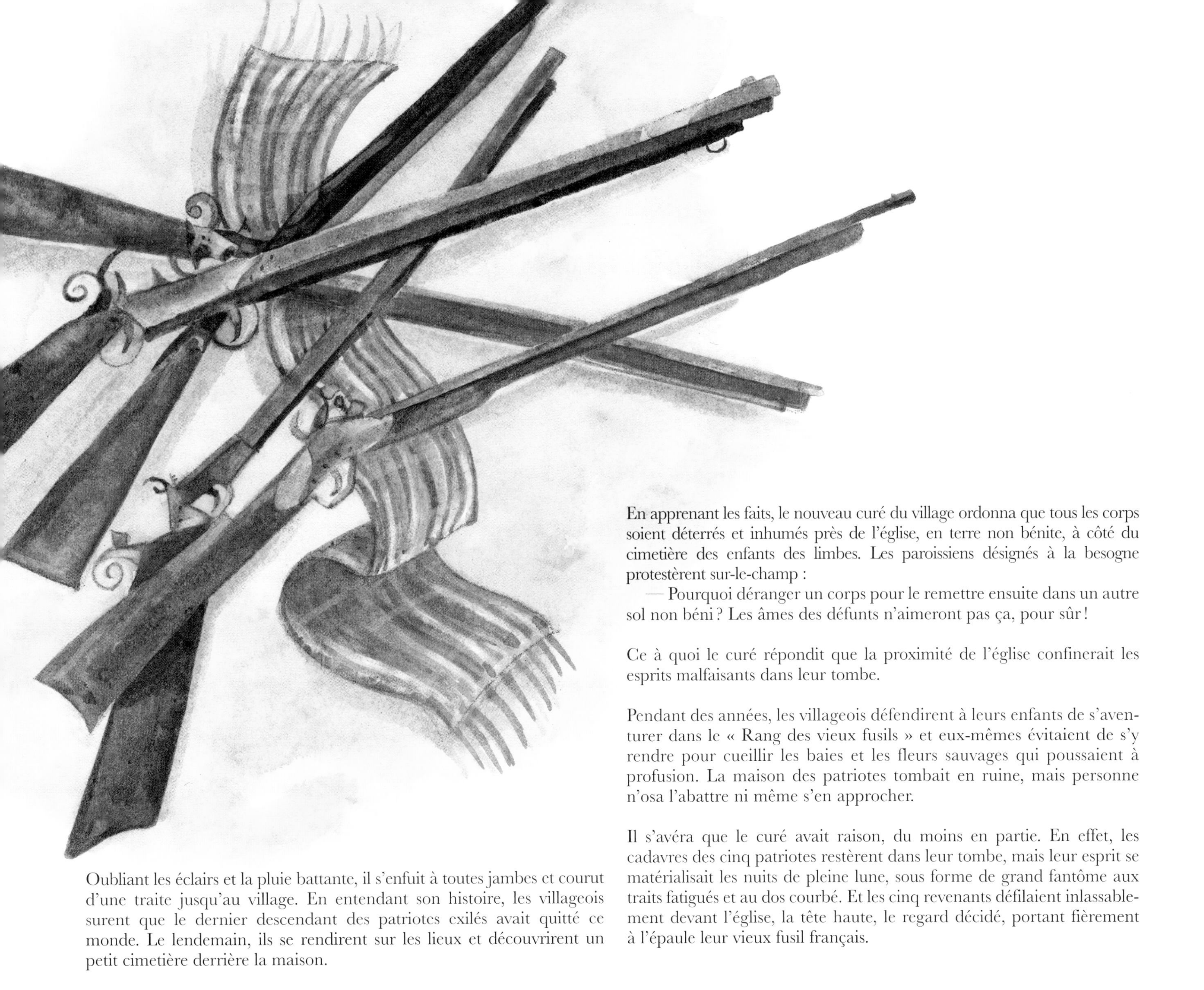

Oubliant les éclairs et la pluie battante, il s'enfuit à toutes jambes et courut d'une traite jusqu'au village. En entendant son histoire, les villageois surent que le dernier descendant des patriotes exilés avait quitté ce monde. Le lendemain, ils se rendirent sur les lieux et découvrirent un petit cimetière derrière la maison.

En apprenant les faits, le nouveau curé du village ordonna que tous les corps soient déterrés et inhumés près de l'église, en terre non bénite, à côté du cimetière des enfants des limbes. Les paroissiens désignés à la besogne protestèrent sur-le-champ :

— Pourquoi déranger un corps pour le remettre ensuite dans un autre sol non béni ? Les âmes des défunts n'aimeront pas ça, pour sûr !

Ce à quoi le curé répondit que la proximité de l'église confinerait les esprits malfaisants dans leur tombe.

Pendant des années, les villageois défendirent à leurs enfants de s'aventurer dans le « Rang des vieux fusils » et eux-mêmes évitaient de s'y rendre pour cueillir les baies et les fleurs sauvages qui poussaient à profusion. La maison des patriotes tombait en ruine, mais personne n'osa l'abattre ni même s'en approcher.

Il s'avéra que le curé avait raison, du moins en partie. En effet, les cadavres des cinq patriotes restèrent dans leur tombe, mais leur esprit se matérialisait les nuits de pleine lune, sous forme de grand fantôme aux traits fatigués et au dos courbé. Et les cinq revenants défilaient inlassablement devant l'église, la tête haute, le regard décidé, portant fièrement à l'épaule leur vieux fusil français.

Les trois diables

Adapté de « Les trois diables »
Paul Stevens, 1867

Alors que Québec n'était qu'un village, un cordonnier nommé Richard vivait pauvrement de son métier. Ce qui le rendait encore plus pauvre, c'est que sa femme, une ivrognesse, buvait tous ses maigres profits. Elle buvait comme un trou, comme plusieurs éponges. Dès qu'il gagnait une piastre, sa femme avait soif pour deux piastres.

Richard avait beau cacher l'argent, sa femme passait au peigne fin les moindres recoins de la maison et finissait toujours par trouver les écus du bonhomme. Un jour, fatiguée d'avoir à toujours chercher l'argent de son mari, elle invoqua le diable.

À peine l'eût-elle appelé que le diable apparut.

— Eh bien, si tu veux me donner assez d'argent pour que je puisse boire tous les jours pendant un an, je te donnerai mon âme, dit l'ivrognesse entre deux hoquets.

— Voilà qui est bien parlé, dit le diable, en tirant de sa poche une bourse pleine d'or. Prends et bois comme il faut, mais rappelle-toi que dans un an et un jour, tu m'appartiendras.

Deux jours plus tard, un étrange mendiant passa devant la porte de Richard et lui demanda la charité.

— Je n'ai rien à vous donner, pauvre homme, ma femme boit tout mon gagne, dit Richard.

— Vous avez bon cœur, je veux vous récompenser de vos bonnes intentions à mon égard. Je vous accorde d'avance trois souhaits, dit le mendiant.

Surpris, le cordonnier répondit :

— Eh bien, puisque vous voulez être si bon pour moi, je souhaite avoir un banc sur lequel tous ceux qui viendront s'asseoir ne pourront se lever que par ma volonté. Je voudrais aussi un violon et, tant que je jouerai sur ce violon, tous ceux qui l'entendront danseront bon gré, mal gré. Enfin, je voudrais un sac, et tout ce qui entrera dans ce sac n'en sortira que par mon bon plaisir.

Le mendiant remit à Richard le banc, le violon et le sac. Puis il partit.

Au bout d'un an et un jour, le diable qui n'avait pas oublié la femme du cordonnier, s'en vint chez Richard et dit :

— Je suis le diable, je viens quérir ta femme.

— Prends-la, tu me rends un fameux service. Depuis un an, elle n'a pas cessé de boire. Mais assieds-toi donc un instant, répondit Richard.

Le diable, sans se faire prier, s'assit sur le banc. Dès qu'il fut assis, Richard lui dit :

— Ma femme est couchée, va donc la prendre.

Bien qu'il se démenât comme seul un démon peut le faire, le diable demeura cloué sur le banc. En voyant les contorsions du maudit, Richard riait dans sa barbe tandis que sa femme, de la porte de sa chambre, lui cria d'une voix éraillée :

— Tiens-le bien, Richard, je te jure que je ne boirai plus.

Richard tint le diable assis de la sorte pendant neuf jours. Le malheureux s'était tellement secoué qu'il n'avait plus de fesses. Vaincu par la douleur, il dit à Richard :

— Si tu veux me lâcher, je te laisserai encore ta femme un an et un jour.

Richard acquiesça et le diable partit.

Toutefois, ce diable avait deux frères. L'un d'eux se proposa d'aller, à son tour, chercher l'âme de l'ivrognesse. Au bout d'un an et un jour, le deuxième diable se présenta donc chez le cordonnier dont la femme n'avait jamais cessé de boire.

— Je suis le diable, et je viens chercher ta femme, dit le deuxième diable.

— Je t'en suis bien reconnaissant, ce sera un bon débarras, dit Richard.

En disant ces mots, le père Richard alla décrocher son violon, l'ajusta délicatement sous le menton et prit son archet de la main droite.

Richard hasarda une note sur son violon. Aussitôt le diable leva la jambe, la pointe de son pied gauche tournée vers l'intérieur. Puis vint une seconde note et le diable fit un pas en cadence. Alors le cordonnier attaqua résolument un air animé et le diable se mit à danser, à tourner et à voltiger, se livrant à une furieuse polka. Richard le fit sauter de la sorte pendant douze jours. Le pauvre diable était tellement échauffé qu'il en avait le poil rouge. À la fin, n'en pouvant plus, il dit à Richard :

— Si tu arrêtes de jouer du violon, je te laisserai encore ta femme un an et un jour.

Le cordonnier acquiesça et raccrocha son violon. Quand il s'en revint vers ses frères, le troisième diable offrit alors d'aller chercher l'âme de l'ivrognesse.

Au bout d'un an et un jour, l'aîné des diables arriva à son tour chez le cordonnier.

— Je viens quérir ta femme, dit le diable.

— Elle est allée boire dans le fort; quand elle rentrera, tu n'auras qu'à l'emmener. Si tu ne veux pas attendre, j'irai la chercher et je la ramènerai dans cette poche, répondit Richard en montrant le sac magique. Puis il enchaîna aussitôt : On dit que le diable est fin, qu'il peut se métamorphoser comme bon lui semble. Est-ce bien vrai ?

— Ça, c'est vrai, affirma le diable en se gonflant la poitrine de fierté.

— Je n'en crois rien, change-toi donc en rat par exemple, continua Richard.

Aussitôt, le diable, débordant d'orgueil, se métamorphosa en rat. En un clin d'œil, Richard l'empoigna et le jeta dans son sac. Ensuite, il alla tout droit chez le forgeron.

— Vous me battrez ce sac jusqu'à ce qu'il soit aussi plat qu'une feuille de papier, dit-il au forgeron.

Ce dernier battit le sac sur l'enclume pendant quinze jours. Puis le diable qui avait tous les os rompus supplia Richard :

— Si tu veux me lâcher, j'abandonne tous mes droits sur ta femme. Si elle est damnée, nous l'aurons éventuellement; si elle se repent, tant pis.

Richard ouvrit le sac et le diable disparut comme un feu follet qui se volatilise à l'aube. Peu après, l'ivrognesse mourut. Elle tomba directement dans les gouffres de l'enfer où les diables la chauffèrent à blanc.

Richard mourut à son tour. Il arriva à la porte du paradis où saint Pierre, le guichetier du paradis, lui dit :

— Te rappelles-tu de ce mendiant qui t'accorda trois souhaits ? C'était moi. Mais puisque tu n'as pas souhaité le paradis, va te promener en enfer.

Arrivé à la porte de l'enfer, Richard cogna et retrouva les trois diables qui ricanaient.

— As-tu ton banc, ton violon et ton sac ? demandèrent les diables.

— Oui, je les ai, répondit le cordonnier.

— Va-t'en alors, maudit ! hurlèrent les trois diables.

Richard reprit donc la route du paradis. Mais saint Pierre ne le reçut pas davantage et Richard s'en retourna cogner à la porte de l'enfer.

Les trois diables ouvrirent alors le guichet et lui demandèrent :

— Que veux-tu pour nous laisser tranquilles ?

— Je veux l'âme de ma femme, répondit Richard.

— L'âme de ta femme nous appartiendra pour toute éternité. Nous te donnerons en échange cent âmes. Ouvre ton sac : tiens, voici les âmes d'une douzaine de marchands qui ont vendu à faux poids, celles de médecins qui ont tué leurs malades, celles d'avocats qui ont menti, celles d'usuriers et de gens morts sans payer leurs dettes, celles de douze aubergistes licenciés, celles de vingt-trois charretiers qui ne cessaient de jurer. Cent âmes. Les voici et ne reviens plus, dirent les diables.

— Il me faut l'âme de ma femme, insista Richard qui fit mine de prendre son violon.

— Non, non, pas ça ! crièrent les diables. La voilà, ta femme !

Richard, jetant le sac sur son épaule, décampa.

De retour à la porte du paradis, saint Pierre accepta cette fois de l'accueillir. Ce n'est pas tous les jours qu'un trépassé ramène avec lui cent une âmes.

Le rocher malin

Inspiré de « Le rocher malin »
Edmond Pelletier, 1942

Telle une proue de navire, le « rocher malin » semble se frayer un chemin vers le fleuve. L'ancienne route vers l'Acadie contournait par la plage cet imposant rocher escarpé. Le chemin n'était toutefois accessible qu'à marée basse; à marée haute, le voyageur devait escalader le rocher pour poursuivre sa route. Le village de Notre-Dame-du-Portage tire son nom du fait que le rocher était, à l'époque, à la croisée des chemins; c'était de là que l'on transportait sur son dos les canots et les bagages jusqu'au lac Témiscouata et à la rivière Madawaska.

Le rocher, d'aspect bizarre, comme taillé par un gigantesque coup de machette, ne fut qualifié de « malin » que plus tard.

Une nuit, une tempête aussi violente que subite frappa une goélette étrangère ancrée à l'île du Pot à l'eau-de-vie, dans la partie est de l'île aux Lièvres. Aussitôt, l'ancre commença à chasser et le bateau se mit à dériver vers les récifs. L'équipage tenta de fuir en hissant les voiles, mais elles se déchirèrent dans la bourrasque.

Alors les marins essayèrent de mouiller une deuxième ancre, mais il était trop tard. La pauvre goélette se fracassa contre les récifs et les fragments du voilier s'éparpillèrent autour du rocher malin. Comme dans la plupart des tragédies maritimes, le naufrage eut lieu dans la noirceur. Six des douze membres d'équipage moururent noyés cette nuit-là.

Le lendemain du naufrage, les survivants, des descendants d'Écossais qui s'étaient établis en Gaspésie, ensevelirent les cadavres de leurs équipiers au pied du rocher malin. Ils n'avaient même pas creusé de trou. Ils avaient empilé les cadavres et les avaient recouverts de pierres et de galets. Il n'y eut aucune prière, aucun rituel funéraire, aucune bénédiction. Ces marins-là n'étaient pas superstitieux. Ils ne croyaient en aucun dieu, en aucun diable.

Mais au Québec, on avait autant peur de Dieu que des démons. On croyait que tout cadavre non béni, non enterré en terre consacrée, non protégé par un cimetière, allait inexorablement revenir hanter les vivants, sous forme de loups-garous, de feux follets ou de simples revenants.

Les gens de Notre-Dame-du-Portage, bien que superstitieux, n'allaient tout de même pas récupérer ces marins écossais pour les mettre en terre bénie. On les laissa donc là où ils se trouvaient. Peu à peu, les vagues, les vers, les crabes et le temps eurent raison de la chair et des entrailles de ces malheureux. Leur âme, toutefois, inquiétait bien les gens du village.

Ceux-ci évitaient de regarder le rocher malin, de passer tout près et même d'en parler. Lorsqu'on devait absolument le contourner sur le chemin du Roy, on faisait un signe de croix pour échapper à sa malédiction.

À plusieurs reprises, au cours de la courte histoire du Portage, le rocher malin avait sévi contre les téméraires et les incrédules.

Tard un soir, Baptiste Labbé et Gabriel Lévesque qui se rendaient voir les filles au village voisin durent traverser le ponceau près du rocher malin. Lorsqu'ils mirent le pied sur le ponceau, un individu tout drapé de noir apparut au milieu du pont. Impossible de voir son visage voilé. Baptiste et Gabriel poursuivirent leur chemin, mais l'étranger sans visage leur barra le chemin.

— Vous devez me montrer du respect, dit la voix caverneuse de l'homme en noir. Si vous voulez traverser ce pont, vous devrez le faire à genoux.

Baptiste Labbé n'était pas homme à s'en laisser imposer, surtout s'il s'agissait d'un étranger. Il voulut s'élancer vers lui afin de lui asséner son plus formidable crochet de droite. Mais ses pieds étaient collés au tablier du pont, comme coincés dans un bloc de ciment. Se tournant vers son ami, il lui dit :

— Gab, je ne peux pas bouger !

— Moi non plus ! répondit son ami, terrassé par la peur.

— À genoux ! répéta l'étranger.

Les deux gars du Portage sentirent leurs jambes faiblir et tombèrent à genoux. Lentement, ils se mirent à ramper sous l'implacable gouverne de l'ombre. Puis, les genoux en sang, ils finirent par atteindre l'autre rive et à quitter le pont maudit. Ils se retournèrent et ne virent rien. Le pont était désert.

On raconte dans le village que certaines personnes auraient vendu leur âme au diable en se cognant la tête trois fois contre le rocher malin, selon les prescriptions du livre magique, Le Petit Albert. Imprimé en France, quelques exemplaires de ce livre de maléfices et de magie noire auraient atteint la très sainte et très pure province de Québec. Quand les curés mettaient la main sur ce livre maudit, ils le brûlaient en grande pompe, célébrant la victoire contre le diable. Le rocher malin devint, en conséquence, le lieu où les curés aimaient brûler les armes et les outils de sacrilège.

Certaines morts suspectes avaient été imputées au rocher malin, de même que certaines maladies, dont celle d'Anthésphore qui, après avoir trouvé une pépite d'or près du rocher, se mit à tousser, à tousser et à tousser jusqu'à en mourir.

Plusieurs personnes auraient vu des feux follets danser autour du rocher malin – les âmes des marins non ensevelis, sans doute. Dans la région, on disait que si un vivant était happé par un feu follet, il devenait un zombie, c'est-à-dire un être dépourvu d'âme et de vie, mais dont le corps continue à gesticuler, assoiffé du sang des autres.

Un jour, un homme surnommé Charlo vint s'installer près du rocher malin. On l'avait averti qu'il s'agissait là d'un lieu maudit, mais il n'avait rien voulu savoir. Peu après la construction de sa cabane près de la mer, les villageois remarquèrent que les feux follets étaient plus nombreux, plus vifs, plus énergiques, plus malveillants. Alors on restait loin du rocher malin dont la sombre réputation ne faisait que grandir.

Puis un soir, Baptiste, celui qui avait dû s'agenouiller devant le diable, passa par là. Il vit bien sûr les feux follets, mais ceux-ci étaient bizarres – en fait, c'était le contraire, ils n'étaient pas bizarres. On aurait dit des lanternes que deux personnes faisaient vaciller dans la nuit. Baptiste vit une goélette ancrée au large, dansant mollement sur les flots reflétant les rayons argentés de la lune.

Mû par la curiosité, Baptiste se faufila subrepticement vers le rocher malin et distingua parfaitement deux hommes qui faisaient des signes avec une lanterne auxquels répondait l'équipage de la goélette.

— C'était donc ça, les feux follets, se dit Baptiste qui observa le manège toute la nuit. Il vit le va-et-vient des chaloupes entre le rocher et la goélette, il entendit des chuchotements, même des rires et quelques sacrés jurons.

À l'aube, la goélette était partie et le rocher malin redevint désert. Baptiste en profita pour l'explorer. Il découvrit une grotte où il y avait des lanternes ainsi que des caisses et des caisses de « canisses de Miquelon ».

Baptiste avait tout compris. Charlo avait profité de la mauvaise réputation de ce rocher pour en faire une base d'opérations de contrebande d'alcool. Et, pour s'assurer que des curieux ne viennent pas fouiner trop près, il avait renforcé leur peur superstitieuse par la supercherie des lanternes, les faux feux follets.

Dès que le pot aux roses fut découvert, Charlo et son acolyte déguerpirent en même temps que les fantômes dont on n'entendit jamais plus parler. Le rocher malin redevint une roche, une simple roche.

Le plus curieux, c'est que les Portageois étaient presque déçus d'avoir perdu ce lien avec l'enfer, déçus que le monde soit tel qu'il était : sans fantômes, sans esprits, sans maléfices.

À la suite d'éboulements, on a dû réduire la taille du rocher malin, afin que la route qui passe tout près soit sécuritaire.

Il paraît que chaque nuit d'Halloween, un homme tout drapé de noir survole brièvement le rocher avant de disparaître dans la nuit. Mais on n'a aucune preuve de ces visions.

Le narval

Conte inédit de Michel Savage
2006

À la fin de l'hiver 1850, dans les bois qui s'étendaient jusqu'à la rive du fleuve, il y avait beaucoup d'animation autour d'une magnifique goélette dont on finissait la construction. Son bordé était fait de planches de cèdre sur une armature de chêne. Sa longue quille partait de l'étrave et s'étendait jusqu'à la poupe, dont l'élégant tableau présentait un léger angle pour adoucir le mouvement des vagues par vent arrière. Le safran, d'un profil superbe, était solidement attaché à la quille par des ferrures en bronze. Le ventre du bateau était joufflu, plein de rondeurs; c'était une coque qui allait harmonieusement épouser les mouvements de la mer.

Son nom, *Vigie*, était déjà peint en lettres d'or sur le tableau. Le bateau servirait aux pilotes du Saint-Laurent qui prendraient la barre des bateaux venus de partout dans le monde.

Le capitaine, Réjean Desgagnés, avait suivi de près toutes les étapes de la construction de ce majestueux voilier, de la pose de la quille jusqu'à la mise en place du magnifique pont en tek importé d'Asie. La pente étant douce du chantier jusqu'à la rive, il ne s'agirait que de tirer le bateau avec des chevaux pour le mouiller, en prenant soin de graisser amplement les billots qui le soutenaient.

Les glaces avaient disparu depuis quelques jours; il était temps de gréer le bateau de deux beaux mâts et d'une longue bôme en épinette rouge. Le gréement à voiles carrées, ou gréement aurique, promettait une fière allure à ce bateau tout neuf, construit avec patience et amour.

Le 1er mai, on fit venir un prêtre pour bénir le bateau et, en présence des notables de la place, des ouvriers et du futur équipage, on brisa une bouteille d'eau-de-vie sur sa coque et on laissa le bateau glisser lentement dans le fleuve. Il entra dans l'eau tout doucement, sans fracas ni vagues.

Les jours suivants, on procéda à des ajustements, on installa les cordages et les voiles, on prépara les ancres et les câblots et on récita la rose des vents. Puis Réjean Desgagnés et son équipage larguèrent les amarres.

On hissa la grand-voile et la *Vigie* commença à avancer sur l'eau à peine ridée par la petite brise. Le capitaine Desgagnés était à la barre, souriant, fier, heureux comme s'il venait de prendre épouse. Soudain, il fut pris d'un grand malaise. Une douleur intense déchira sa poitrine et lui coupa la respiration. Ses jambes faiblirent et il s'effondra sur le pont de son navire, raide mort.

Le capitaine Desgagnés sombra dans le néant. Après une éternité, il ouvrit les yeux. Il était dans le noir. Il sentit la pression de l'eau froide qui pesait sur son corps. Il sentit qu'il n'avait plus de bras, ni de jambes. Devant lui, il vit une longue corne bien droite qui partait de son front. Il réalisa alors qu'il était devenu un narval, lui qui de toute sa vie avait refusé de croire à la réincarnation.

Desgagnés-le-narval se dirigea vers la lumière en surface. Sa tête émergea et il vit au loin un fier voilier à voiles carrées qu'il reconnut immédiatement. C'était son bateau. C'était la *Vigie*. Pour la première fois, il avait le bonheur de la contempler toutes voiles dehors, fonçant contre le vent et les vagues. Grâce à sa force nouvelle de mammifère marin, il fila à sa rencontre pour l'admirer de plus près.

Comme elle était belle. Elle fendait la mer comme une lame de couteau, légèrement gîtée sur tribord, les voiles gonflées à bloc. Elle suivait son cap sans aucune hésitation et son sillage était droit comme une épinette.

À bord de la goélette, un marin qui veillait à l'écoute vit un narval tout blanc qui nageait allègrement devant l'étrave. Une idée saugrenue lui traversa alors l'esprit et il dit à son compagnon :

— Regarde bien comme je sais viser.

Il sortit un vieux revolver de son manteau, visa le narval et appuya sur la gâchette. Le narval fut touché en plein front. Une rivière de sang s'écoula dans la mer et le narval sombra dans les profondeurs de la mort.

Aussitôt, le vent forcit et vira si subitement que les marins n'eurent pas le temps d'ajuster les voiles. Il y eut un grand choc de toile déchirée, suivi d'un sinistre craquement. Puis, avec une lenteur presque irréelle, le grand mât se cassa en deux et s'abattit sur le pont. La voile d'avant se déchira à son tour et les cordages qui la retenaient tombèrent à la mer et vinrent s'enrouler autour du gouvernail.

Sans direction et sans voiles pour la gouverner, la *Vigie* s'élançait vers les récifs qui bordaient la rive. Devant la soudaineté de l'accident et paralysés par la peur, les marins restèrent impuissants.

La *Vigie* fonça sur les récifs, soulevant la belle coque de cèdre qui retomba, trouée, éventrée, assassinée. Puis la coque s'abîma dans l'eau froide sans laisser le temps aux hommes de mettre les canots à la mer.

À bord, personne ne savait nager et tous, sauf un, périrent en moins de deux minutes. Le survivant raconta à qui voulait l'entendre qu'il ne faut jamais, mais jamais tuer un narval ou autre mammifère marin.

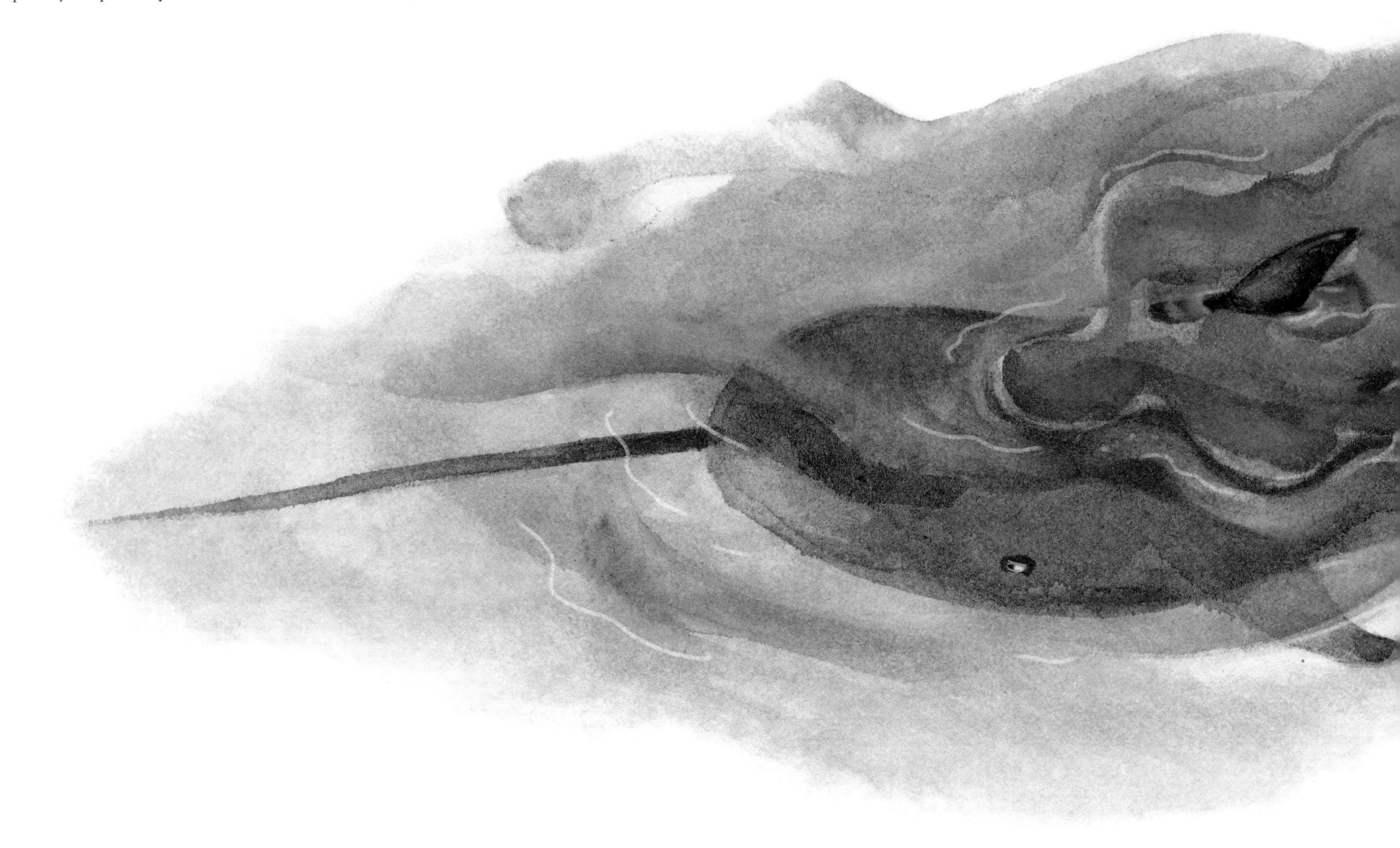

Le survivant se retrouva sur un brigantin qui faisait la navette entre le Québec et Haïti. Un jour, alors que le gros bateau filait sur la mer turquoise des tropiques, un marin eut l'idée de tirer sur des dauphins qui, de toute leur bonne humeur, jouaient dans le sillage du bateau.

Aussitôt, un grain d'une violence inouïe secoua le bateau qui pencha sur le côté, puis se renversa, entraînant avec lui tout l'équipage.

Comme les albatros, les dauphins sont un signe de bonne chance pour tous les marins du monde. Malheur à ceux qui osent blesser ces mammifères d'une grande douceur.

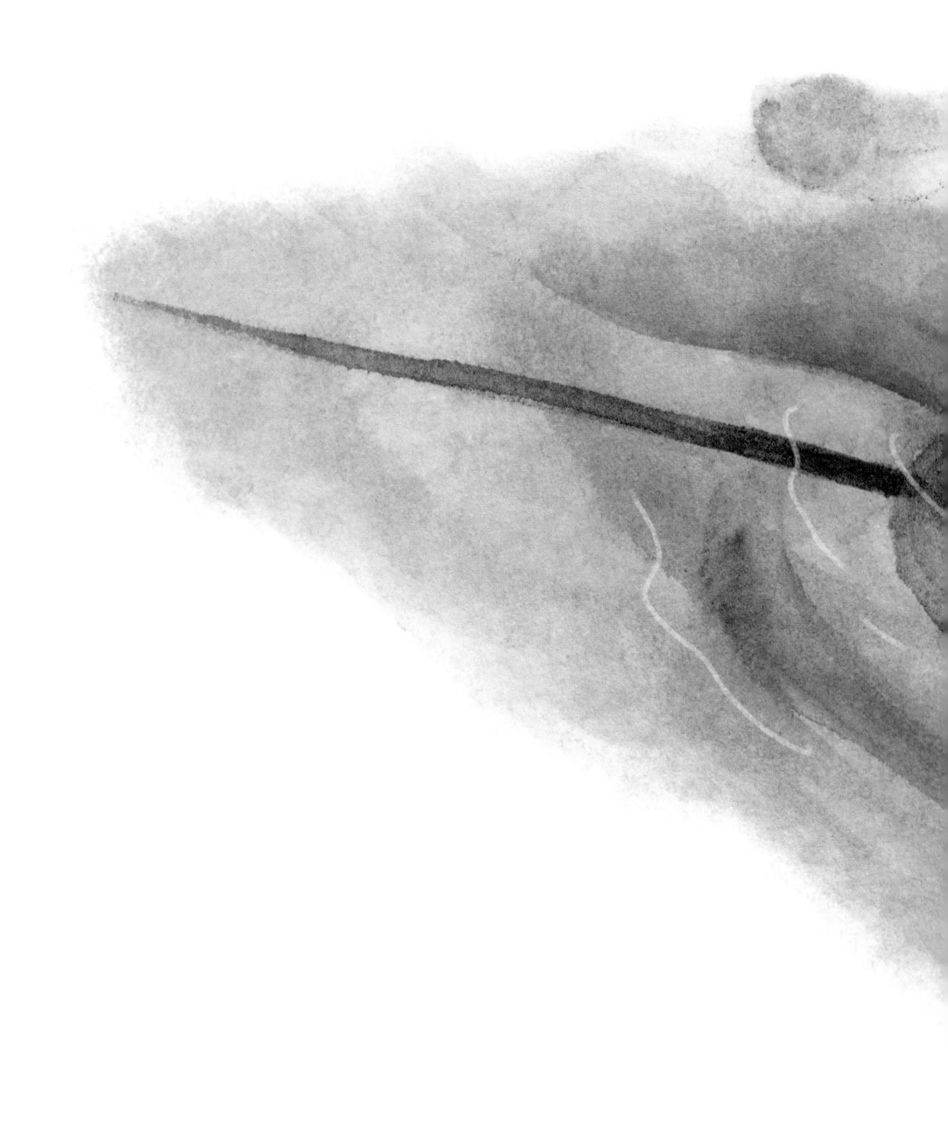

Le père Louison

Adapté de « Le père Louison »
Honoré Beaugrand, 1900

Tous les villageois connaissaient le père Louison, un grand vieux bonhomme, droit comme une flèche, qui gagnait péniblement sa vie. Il faisait traverser les voyageurs d'une rive à l'autre du Saint-Laurent et pêchait depuis la débâcle des glaces jusqu'aux derniers jours d'automne. C'était toujours lui qui attrapait les premiers poissons et les premières outardes. On ne le rencontrait jamais sans qu'il eût, soit son aviron, soit son fusil, soit sa canne à pêche sur l'épaule.

La réputation d'intégrité du vieux passeur était connue de tous. Il avait même risqué sa vie à plusieurs reprises pour secourir des malheureux en péril sur les eaux du fleuve. Mais au village, on le craignait plus qu'on ne l'aimait, car il avait l'air taciturne et était peu enclin à la jasette.

Un soir, à la brunante d'été, le vieillard alla mouiller son canot près de la rive où il tendait ses lignes dormantes. Rivet, un homme grincheux et querelleur réputé, arriva sur la berge en tenant un chien barbet au bout d'une corde. Il tenta de noyer l'animal en le rouant cruellement de coups de pied et de coups de bâton. Le pauvre chien hurlait de douleur et de peur.

Voyant cette scène dégoûtante, Louison le vieillard remonta ses lignes et rama jusqu'à Rivet pour le sommer d'arrêter cette abominable torture. Rivet éleva la voix et devint menaçant. Quelques curieux s'étaient réunis pour voir ce qui se passait.

Rivet s'avança, la main haute, sur le vieux pêcheur qui leva les yeux trop tard pour parer un coup de poing qui l'atteignit en pleine figure.

La physionomie du père Louison se transforma radicalement. Il se redressa de toute sa hauteur et bondit comme une panthère sur l'audacieux qui venait de le frapper sans provocation.

Ses yeux lançaient des éclairs de colère. Il saisit son adversaire par les flancs et le souleva au-dessus de sa tête, puis il le lança avec une violence inouïe sur le sable de la grève, en poussant un rugissement de fauve.

Le pauvre diable, qui pensait s'être attaqué à un vieillard impotent, venait de réveiller la colère et la puissance d'un hercule. Il tomba sans connaissance.

Le père Louison se précipita alors sur lui, le ramassa et courut vers les eaux du fleuve dans l'intention évidente de le noyer.

Le vieil homme avança jusqu'à ce qu'il eût de l'eau sous les aisselles, puis il projeta Rivet loin au large, là où l'eau était profonde.

Ensuite, le père Louison regagna le rivage à pas mesurés et alla s'enfermer dans sa misérable cabane, sans qu'aucun des curieux qui se trouvaient sur son passage eût osé lever la main sur lui.

Heureusement, un canot qui se trouvait non loin de la scène vint à la rescousse de Rivet. Les deux hommes du canot avaient suivi toutes les étapes du drame. Lorsque le corps de Rivet refit surface, après quelques minutes d'immersion, ils le saisirent et le déposèrent dans leur embarcation sous les applaudissements de la foule qui grossissait toujours sur la rive.

On débarqua le corps inanimé du pauvre Rivet pour le déposer sur la grève, en attendant l'arrivée du curé et du médecin qu'on avait envoyé chercher. Ce n'était pas trop tôt, car l'asphyxie était presque complète, et l'on transporta le moribond chez lui, où il reçut les soins empressés de toutes les commères du village.

Il fut décidé par les autorités du village de tenir une enquête dès le lendemain matin et de sommer le père Louison de comparaître devant le magistrat.

Le lendemain, la salle publique était comble et le médecin annonça que Rivet prenait du mieux. Un soupir de soulagement s'échappa de toutes les poitrines et l'enquête commença. Le père Louison avait été ponctuel à l'ordre du magistrat, mais il se tenait assis, seul dans un coin, plié en deux, les coudes sur les genoux et la tête dans les deux mains. À l'appel du magistrat qui lui demanda de raconter les événements de la veille, il se leva tranquillement et, les yeux baissés, relata d'une voix navrante de regret tout ce qui s'était passé. Il conclut par ces mots :

— Je me suis emporté comme une brute. J'en demande pardon à Rivet et à sa famille et j'en demande pardon à tous les habitants du village qui ont été témoins du grand scandale que j'ai causé par ma colère. Je remercie Dieu d'avoir épargné la vie de Rivet et je suis prêt à subir le châtiment que j'ai mérité.

— Heureusement pour vous, père Louison, que la vie de Rivet n'est pas en danger, car il m'aurait fallu vous envoyer en prison. Il faut cependant que je demande aux voyageurs qui ont sauvé Rivet de raconter ce qu'ils ont vu pendant l'affaire d'hier, dit le magistrat.

Le plus âgé des voyageurs exposa simplement les faits du sauvetage et corrobora la déposition du père Louison. Son compagnon, un homme dans la soixantaine, s'avança pour témoigner, lorsqu'il se trouva face à face avec l'accusé qu'il n'avait pas encore vu. Il le regarda bien en face, hésita un instant, puis d'une voix étonnée, il dit :

— Louis Vanelet !

Le père Louison leva la tête dans un mouvement involontaire de terreur et regarda l'homme qui venait de prononcer ce nom. Les regards des deux hommes s'entrecroisèrent et s'abaissèrent aussitôt. Puis le vieil homme du canot raconta le sauvetage de Rivet.

La justice de campagne étant plutôt miséricordieuse, le magistrat enjoignit au vieux pêcheur de retourner chez lui, de vaquer à ses occupations et de se tenir tranquille.

Avant de s'éloigner, le magistrat demanda au dernier témoin de venir chez lui, le soir même, à huit heures. Il voulait lui causer.

Fidèle au rendez-vous, le vieux voyageur se trouva en présence du juge, du curé et du notaire qui s'étaient réunis pour la circonstance. Ils lui demandèrent :

— Pourquoi avez-vous appelé le père Louison du nom de Vanelet ?

Alors le voyageur répondit :

— Il y a longtemps, Vanelet et moi étions bûcherons dans la Gatineau. C'était un bon garçon, travailleur et habile raconteur. Un jour, il me demanda de lui servir de témoin dans une lutte à coups de poings qu'il devait livrer le lendemain contre quelqu'un qui voulait lui voler sa fiancée. La bataille commença rondement, mais à peine les premiers coups avaient-ils été portés que Vanelet était absolument hors de lui-même, dans un accès de fureur noire. Plus fort que son adversaire, il lui asséna des coups terribles sous lesquels l'autre s'écrasait comme sous des coups de massue. Fou de rage et fort comme un taureau, il frappa toujours jusqu'à ce que son adversaire, les yeux pochés et la figure ensanglantée, perdît connaissance.

Le voyageur poursuivit son récit sous les regards fort attentifs des notables.

— Alors Vanelet le saisit et le lança sur la neige durcie et glacée. Le sang lui sortait du nez et des oreilles. Il allait de nouveau se précipiter sur sa victime lorsque nous nous jetâmes sur lui pour empêcher un meurtre. Jamais je n'avais vu un homme aussi fort, dans une fureur aussi terrible. Puis Vanelet s'enfuit comme un fou dans la forêt. Il disparut du chantier. Plus tard, j'appris que sa victime s'était rétablie; le pauvre homme avait fini par épouser celle pour qui il avait failli sacrifier sa vie. Et hier, j'ai revu Vanelet pour la première fois depuis sa fuite.

Après avoir écouté cette histoire, le magistrat décida que, considérant le tempérament irascible du père Louison et sa force herculéenne, il fallait le traduire devant la Cour criminelle.

Lorsque le lendemain matin le représentant de la loi se rendit chez le père Louison, il trouva la cabane vide. Pendant la nuit, le vieillard avait disparu en emportant dans son canot ses engins de chasse et de pêche. Personne ne l'avait vu partir.

Quelques jours plus tard, le capitaine d'un chaland raconta que pendant une forte bourrasque de nord-est, il avait vu sur le lac Saint-Pierre un long canot flottant au gré des vagues et des vents. Il avait cru reconnaître l'embarcation du père Louison, mais le canot était vide et à moitié rempli d'eau.

Satan et les ivrognes

Inspiré de « Légendes gaspésiennes »
1931

À quelques kilomètres au nord de Percé, en retrait de la pointe Saint-Pierre, se trouve un petit village appelé Barachois. En langue acadienne, « barachois » veut dire une dune de sable qui protège un lagon de la mer. C'est de là que partirent deux compères sur leur barque, en direction du cap Bon-Ami qui marque l'entrée de la profonde baie de Gaspé. Les courants de marée sont parfois forts dans cette région. Ainsi, malgré leur embarcation saine et bien adaptée à la mer, les compères durent ramer pendant des heures pour se rendre à destination.

Personne n'a jamais su le vrai nom de ces deux hommes, des Amérindiens sans doute, qui venaient travailler à l'usine de conserves de homard l'été et disparaissaient dans les bois l'automne venu. On les surnommait Bull et Bill. Ils étaient inséparables et on leur reprochait de ne jamais aller à l'église – à une époque où tous s'y rendaient encore.

Quoi qu'il en soit, Bull et Bill arrivèrent tant bien que mal en face du cap Bon-Ami, situé au bout de la majestueuse péninsule de Gaspé. Devant eux, à cinq cents mètres, la falaise de couleur ocre dominait la mer. Ici et là, des cormorans étendaient leurs ailes noires pour les faire sécher.

Bull et Bill étaient ivres morts. On ne savait pas grand-chose d'eux, sinon qu'ils buvaient du matin au soir et du soir au matin. Jamais on ne les avait vus sobres. Ils ingurgitaient tout ce qui pouvait les griser : whiskey, caribou, rhum, shoeshine. On disait qu'ils avaient même bu de l'huile à lampe, un jour qu'ils étaient à sec.

Leur visage était ravagé par les effets de l'alcool – veines éclatées, nez en chou-fleur, peau semblable à la surface lunaire, yeux jaunes et lèvres enflées, luisantes, toujours prêtes à sucer le goulot.

Bull se leva dans la barque. Malgré le roulis et son état avancé d'intoxication, il réussit à tenir sur ses jambes mollasses. La main sur le front, il plissa les yeux en portant son attention sur un détail du paysage rocheux et lugubre du cap.

— Queu queu queu tu vois ? bredouilla Bill.
— Leu leu leu diiiable… jeu jeu jeu jure !
— Beu, beu, beu, dis-lui d'aller s'faire voir ! balbutia Bill.
— Ouais.

Bull mit les mains en porte-voix et hurla de toutes ses forces :
— Hé ! Diiiable ! Va va va t'faire voir voir voir ! Vvvva au diable !

Il y eut comme un écho qui fit résonner les dernières paroles de Bull.
— Iable, able, ble…

Alors Bull prit la bouteille de whiskey, en but une profonde gorgée et lança :
— À ta Satan, euh… à ta santé Santa, à ta santé Satan !

Cette fois, une voix bien distincte répondit :
— Demain, je boirai à ta santé ! Puis il y eut un ricanement diabolique.

Bull se tourna vers Bill :
— T'as entendu ?
— Suis trop soûl, dit Bill.

Bull s'affaissa dans la barque et Bill continua à ramer jusqu'au quai où les attendaient d'autres ivrognes. Ils burent toute la nuit. Ils vomirent toute la nuit. Ils râlèrent toute la nuit.

Le lendemain, ils revinrent à Barachois pour travailler à l'usine. Personne ne savait comment ces deux hommes parvenaient à fonctionner après des nuits complètes de beuverie. Mais ils se tiraient d'affaire et faisaient ce qu'on leur demandait.

Vers cinq heures, ils quittèrent l'usine et reprirent la mer à bord de leur barque, question de s'enivrer encore, mais loin des regards désapprobateurs des Barachois. Cette fois, ils n'allèrent pas en mer mais restèrent dans le lagon.

La barque était immobile. Il n'y avait aucun vent, pas la moindre légère brise. La surface de l'eau était lisse comme un miroir. Des volées de goélands traversaient le ciel pour aller se coucher quelque part.

Bull et Bill ouvrirent une nouvelle bouteille de whiskey.

Au moment où Bill porta la bouteille à ses lèvres, la barque fut lentement soulevée hors de l'eau, jusqu'à ce qu'elle flottât à deux ou trois mètres au-dessus de la surface.

— Je pense qu'on boit trop, on hallucine tout le temps, dit Bill.

Bull qui était encore relativement sobre se tenait fermement à la lisse de la barque.

— On n'hallucine pas, répondit-il, la voix tremblotante.

Puis d'un coup sec, la barque chavira dans les airs. Les deux hommes tombèrent dans l'eau, avec les rames, les voiles et les bouteilles vides. La barque retomba directement sur eux et les emprisonna sous l'eau. Elle sombra ensuite sans bruit. Seulement quelques bulles apparurent à la surface qui, rapidement, redevint plate comme une image.

Le lendemain matin, les gens de l'usine s'inquiétèrent, car Bull et Bill ne s'étaient pas présentés au travail. Les deux compères étaient de sacrés ivrognes, mais ils étaient toujours ponctuels au travail. On ratissa la plage et on retrouva leur corps bleui contre un banc de sable. Bill avait encore sa bouteille à la main.

Le noyeux

Adapté de « Le noyeux et l'hôte à Valiquet »
Joseph-Charles Taché, 1884

Au commencement du pays, les goélettes, les bateaux plats et les canots, chargés de marchandises et de passagers, sillonnaient le fleuve et les rivières. Les voyages en canot d'écorce, ponctués de portages pour passer les rapides et les hauts fonds ou pour changer de cours d'eau, pouvaient durer des mois. Les voyageurs profitaient de ces portages pour se reposer et se dégourdir les jambes.

Un grand canot, monté par huit hommes, descendait la rivière des Prairies. Le soir venu, les hommes firent escale aux Écores et campèrent au pied du rapide de Sault-au-Récollet.

En se promenant autour du campement, les hommes remarquèrent la lumière d'un feu sur la pointe voisine, à environ cinq cents mètres de leur canot. Trois d'entre eux se dirigèrent spontanément vers la pointe, guidés par la lumière, pensant y trouver des voyageurs arrêtés pour la nuit.

Arrivés à la pointe, ils ne virent ni canot ni voyageurs. Mais il y avait réellement un feu et, auprès du feu, un Amérindien assis par terre, les coudes sur les cuisses, la tête dans les mains.

À l'arrivée des trois hommes, l'Amérindien ne bougea pas. Il ne leva même pas les yeux. Les trois compagnons se regardèrent, étonnés par le comportement étrange de l'Amérindien, puis s'avancèrent vers le feu pour l'examiner de plus près. Tout en s'approchant, ils virent de l'eau dégoutter de sa chevelure et de ses membres. Ils s'approchèrent davantage, tout en l'interpellant pour attirer son attention, mais le singulier personnage ne répondit pas et resta immobile.

À la lueur du feu, les hommes furent doublement surpris lorsqu'ils virent que l'eau qui dégouttait sans cesse de l'Amérindien ne mouillait pas le sable et ne donnait aucune vapeur.

Les trois gaillards, qui d'ordinaire ne s'effrayaient pas facilement, furent pris d'effroi. Mais l'Amérindien restant impassible, ils retrouvèrent un semblant de bravoure et firent plusieurs fois le tour du feu sans jamais en ressentir la chaleur. Ils jetèrent une écorce dans le brasier. L'écorce resta intacte. Ils passèrent alors leurs mains au-dessus du feu, puis carrément dans les flammes : elles étaient froides comme l'air.

Sans chercher à comprendre, ils détalèrent comme des lapins. Mais l'un d'eux dit aux autres :

— Nos compagnons ne nous croiront jamais. Il faut leur rapporter une preuve.

Ils rebroussèrent chemin. L'Amérindien était toujours assis dans la même position. Ils prirent alors l'un des tisons du bûcher diabolique qui, sans brûler, donnait flamme et lumière.

Ils regagnèrent leur campement et, tandis qu'ils racontaient leur mésaventure et que leurs compagnons ébahis examinaient le tison, un grondement infernal se fit entendre. Au même moment, surgi de nulle part, un énorme chat noir se lança dans une course furibonde, faisant trois fois le tour du groupe et poussant des miaulements effroyables. Puis le chat bondit sur leur canot renversé et en mordit le bord avec rage, tout en lacérant l'écorce de ses griffes.

— Il va mettre notre canot en lambeaux, jette-lui le tison ! dit le guide à celui qui tenait le morceau de bois.

Le tison fut lancé au loin. Le chat noir se précipita dessus, le saisit dans sa gueule, darda un regard de feu sur les trois hommes et tout disparut.

Quand les voyageurs relatèrent leur histoire aux habitants des Écores, tous hochèrent la tête pensivement et aucun ne se moqua d'eux. C'est que ces gens-là connaissaient le drame qui s'était déroulé dans le rapide quelques années auparavant.

Un missionnaire récollet descendait de chez les Hurons avec des indigènes dont Shalako qui s'opposait fermement à la prédication de l'Évangile au sein de sa nation. Shalako nourrissait en secret de noirs desseins qu'il comptait bien mettre à exécution à la première occasion.

Tel un chat, Shalako observait les faits et gestes du missionnaire et des autres membres de l'équipage, attendant patiemment le moment propice pour agir.

Une semaine s'écoula, puis deux, puis trois, puis de nombreuses autres encore. Quelques jours avant d'arriver à destination, Shalako perdit patience. Une nuit, pendant que tous dormaient autour d'un feu, il se rendit dans une clairière profondément enfouie dans la forêt. La lune était pleine et seuls les hululements des hiboux venaient troubler le silence de minuit.

Quelques heures plus tard, Shalako regagna le campement et s'endormit, un sourire satisfait aux lèvres. Les voyageurs repartirent à l'aube. Le canot glissait tranquillement sur l'eau, sous le soleil qui brillait de tous ses rayons dans un ciel immaculé.

Peu avant le rapide des Écores, le temps arrêta son cours. Le silence étouffa le chant des oiseaux, le bruissement des feuilles, les cris des animaux. L'eau de la rivière cessa de couler et le vent retint son souffle. Tous les occupants du canot se figèrent comme des statues de sel. Tous, sauf Shalako et le récollet.

Une force mystérieuse arracha alors le canot de son socle d'eau et le fit planer à trois mètres au-dessus de la rivière. Au seuil du rapide, la force relâcha son emprise et le canot retomba en tourbillonnant. Shalako empoigna le missionnaire et sauta avec lui dans l'eau qui, aussitôt, se mit à bouillonner. Puis le temps reprit son cours.

Dans le canot, tous les hommes étaient assis à leur place. Ils ne se souvenaient de rien et pourtant, ils se trouvaient bien au pied du rapide. Au bout d'un instant, ils constatèrent l'absence du missionnaire et de Shalako et levèrent leur regard instinctivement vers le ciel.

Les indigènes rapportèrent la disparition du récollet et de Shalako aux villageois des Écores. Tous les dévots conclurent que Shalako, cet ignoble païen, avait entraîné le saint homme au fond de l'eau. Ils appelèrent le rapide « Sault-au-Récollet » en souvenir du missionnaire et qualifièrent son assassin de « noyeux ».

Par la suite, on vit à plusieurs reprises le noyeux du récollet, tantôt d'un bord tantôt de l'autre du rapide, et parfois sur les îles voisines. On supposa que le diable s'était emparé du meurtrier après son crime, au moment où il se faisait sécher sur la berge, et qu'il l'avait condamné à errer avec son feu jusqu'à la fin des temps. Mais seul Shalako, l'Amérindien impassible, savait pourquoi son feu ne réchauffait que lui.

Juré sacré

Conte inédit de Michel Savage
Inspiré d'une légende locale, 2006

La drave était un dur labeur qui exigeait robustesse, énergie et agilité. Au printemps, les journées commençaient à quatre heures du matin et se prolongeaient jusqu'à sept heures du soir. Il s'agissait de profiter du fort courant des ruisseaux et rivières gorgés par la fonte des neiges pour amener les billots coupés en aval vers les scieries.

Au milieu du XIXe siècle, on ne portait pas de gilet de sauvetage et la plupart des draveurs ne savaient pas nager. Pourtant, ils sautaient d'une bille à l'autre, leurs bottes cloutées les empêchant de glisser et de se noyer. Parfois, tôt au printemps, les pitounes – des billes de quatre pieds – étaient prises dans la glace et il fallait les déloger à grands coups de gaffe. Il y avait aussi les embâcles qu'on brisait souvent à la dynamite.

Ce jour-là, un embâcle s'était formé sur la rivière Bleue et exerçait une immense pression sur tous les billots. Les draveurs devaient absolument défaire cet embâcle pour empêcher une inondation ou un amoncellement de gros billots.

Après avoir déjeuné dans un campement sur la rive, une douzaine de draveurs arrivèrent sur les lieux à bord d'une grosse chaloupe, guidés par Anycet Labranche, le contremaître. L'embarcation, très robuste, était conçue pour descendre les rapides. Elle fila rapidement dans une descente, buta contre un récif à fleur d'eau et tournoya de l'arrière jusqu'à ce que quelqu'un dégage la proue.

Les draveurs accostèrent en amont de l'embâcle, la chaloupe pressée contre les billots par le fort courant. La situation était fort précaire et périlleuse. Les draveurs sautèrent l'un après l'autre sur le tas de billots, certains brandissant une gaffe, d'autres un cantouque, une sorte de croc à levier fait d'un crochet mobile fixé à un collet.

Après une brève inspection, les draveurs conclurent que quelques billots en aval étaient accrochés à des rochers affleurants et retenaient tout le reste.

Pendant ce temps, Anycet était resté dans la chaloupe afin de la maintenir accostée, ce qui était plus facile à dire qu'à faire.

Les hommes repérèrent les billots les plus instables mais même avec les gaffes, ils ne parvinrent pas à en faire bouger un seul. Deux draveurs s'arc-boutèrent et, à l'aide de leur cantouque, poussèrent de toutes leurs forces sur une grosse bille. Les muscles tendus à se rompre, les crampons bien ancrés dans l'écorce, les deux draveurs unirent leurs forces. Soudain, la bille roula un peu sur elle-même. Les draveurs, dans un dernier sursaut d'énergie, poussèrent de nouveau. La bille roula, se dégagea et tomba à l'eau dans un grand fracas.

Puis tout se passa à la vitesse de l'éclair. Des billes libérées de leur entrave se relevèrent et dégagèrent l'avant de l'embâcle.

Anycet cria :
— Enlevez-vous de là ! Tabernouche de câliboire, tassez-vous !

L'embâcle venait de lâcher. Les draveurs n'eurent que le temps de sauter sur les rochers près de la rive. L'un d'eux glissa et se cassa la jambe. Anycet fut instantanément entraîné dans la débâcle par le violent courant. La chaloupe disparut sous les billots qui s'élevaient dans les airs avant de retomber dans l'eau vive. Malgré le bruit infernal créé par les billots qui s'entrechoquaient dans le courant devenu libre de toute entrave, on entendit les dernières paroles du contremaître :
— Juriboire de sacrebouille de saint sallamant de kliffe de tabaslaque de batêche d'ostinâtion de cibolaque !

On retrouva son corps désarticulé trois milles plus bas. Il avait la tête écrasée, les jambes cassées, c'est à peine s'il était reconnaissable. Anycet avait connu tous les lacs, toutes les rivières et toutes les forêts de la région. Il était fort comme un taureau et agile comme un lièvre. Malgré son air rustre et autoritaire, il avait bon cœur et pensait toujours à la sécurité de ses hommes.

Comme il n'avait pas de famille connue, on décida de l'enterrer au sommet de la montagne Thompson, afin de le rapprocher du ciel et des anges. En guise de rituel funéraire, on érigea une croix sur sa tombe et on vanta sa bravoure, lui qui n'avait jamais eu peur de rien.

Le lendemain, les hommes reprirent le travail jusque tard le soir. Cette soirée-là, tous étaient enfermés dans leurs pensées quand, tout à coup, on entendit, venant de la montagne Thompson, une plainte qui ressemblait à « Stie, stie, stie, stie, stie… ».

Les draveurs, hommes braves s'il en est, eurent le sang glacé dans les veines. Anycet n'était pas mort, en tout cas, pas vraiment.

— Stie, stie, stie… disait le vent plaintif.

Il en fut ainsi tout le printemps. Les draveurs passèrent la saison entière dans la peur. Ils finirent tous par déserter le chantier, si bien que les propriétaires anglais de l'exploitation forestière durent la fermer.

Il y a toujours une croix au sommet de la montagne Thompson. Et, certaines nuits froides, on entend encore cette plainte qui vient de la tombe du brave draveur, Anycet Labranche :

— Stie, stie, stie…

Le retour du fils

Inspiré de « Sang et or »
Pamphile Lemay, 1907

Tout juste en amont de Québec se trouve un petit village appelé Saint-Nicolas. Il y a bien des années, le meunier Télesphore Dumoulin y vivait avec sa femme Herpingite et son fils Ubald. Le couple n'avait pu avoir qu'un seul enfant alors que les familles de l'époque engendraient souvent une douzaine de rejetons.

Le meunier était très pauvre et arrivait à peine à nourrir sa femme et son enfant. Le moulin était vétuste et la pierre usée ne broyait plus les graines finement. En outre, deux grandes meuneries de Cap-Rouge, tout près de Saint-Nicolas, produisaient des surplus de farine qu'elles distribuaient à des lieues à la ronde.

Après avoir fêté ses quatorze ans, Ubald décida de quitter sa famille et d'émigrer aux États-Unis où, disait-on, il était possible de s'enrichir en peu de temps. Il fit son baluchon et partit le cœur serré. Il traversa toute l'Amérique et termina son périple sur la côte ouest, en Californie, où il fut engagé dans les vergers.

Pendant des années et des années et des années, il travailla à la sueur de son front, sans jamais avoir de nouvelles de ses parents. Le petit village de Saint-Nicolas était devenu pour lui un monde qui n'existait plus qu'en rêve. Jour après jour, il faisait son labeur sans rechigner, récoltant des fruits et des légumes sous le soleil brûlant. Sa patience et ses efforts furent récompensés. Après vingt années de travail acharné, il avait amassé une petite fortune qu'il avait transformée en or pur.

À trente-quatre ans, riche et encore dans la force de l'âge, il décida de revenir chez ses parents, de prendre femme et de fonder une famille sur les bords du fleuve Saint-Laurent. Pour la seconde fois, il traversa toute l'Amérique à pied, en charrette, en bateau et même à dos d'âne. Il mit plus de trois mois pour revenir chez lui.

Un soir du mois de mai, il aperçut, au loin, le clocher de l'église qu'il revoyait en rêve. Son cœur battait la chamade. Il était bouleversé, ému. Il allait enfin revoir ses chers parents – en espérant de tout cœur qu'ils soient encore en vie.

Ne voulant causer trop de surprise, le cœur des vieux étant toujours trop faible, Ubald décida de se rendre tout d'abord chez Jo, le propriétaire du magasin général du village. Là, il prendrait des nouvelles de ses parents et se préparerait mentalement à les revoir.

Jo eut peine à le reconnaître. À son départ du village, Ubald n'était encore qu'un jeune blondinet imberbe et maigrichon. Il était maintenant un grand homme solide et fort. Ses cheveux avaient tourné au brun et formaient une grosse tignasse. De plus, Ubald arborait une barbe touffue qui cachait une partie de son visage. Ses mains étaient larges comme une porte et dures comme une enclume. Malgré tout, Jo reconnut cette lueur unique qui avait toujours brillé dans la pupille d'Ubald, une lueur de liberté et d'indépendance qui lui était propre.

— Tes parents ne te reconnaîtront pas, tu devrais leur épargner le choc de ton retour, dit le vieux Jo.

Ubald eut alors l'idée de se faire passer pour un étranger et de demander l'hospitalité à Télesphore et Herpingite. Il leur révélerait son identité en douceur, peu à peu.

Ainsi donc, Ubald se rendit à la maison du meunier. Il frappa à la porte. On ouvrit. Bien que consumé par l'émotion, il ne laissa rien paraître et prétendit être un voyageur en quête de logis pour la nuit.

Télesphore hésita. Il était vieux et méfiant. Puis, après avoir longuement réfléchi, il laissa entrer l'étranger. Ce faisant, il vit que l'homme portait à la ceinture une grosse bourse pleine de pièces – de l'or sans doute – qui tintaient délicieusement.

Le soir venu, Ubald laissa sa bourse sur la table en disant à ses hôtes qu'il y avait là assez d'argent pour vivre toute une vie sans travailler.
— Je vous confie ma bourse, dit-il à ses parents qui ne l'avaient pas reconnu.

Ubald monta se coucher dans une chambre en haut de la petite maison. Il s'endormit en pensant à l'heureuse surprise qu'il ferait à ses parents le lendemain.

Mais il n'y eut point de lendemain.

Dès qu'il commença à ronfler, Télesphore et Herpingite montèrent silencieusement les marches jusqu'au second étage. La femme transportait un sac de jute et l'homme, un grand bout de bois franc. Ils ouvrirent la porte de la chambre avec précaution et s'approchèrent du lit où Ubald dormait à poings fermés.

Puis la femme enfouit la tête de l'étranger dans le sac et le vieil homme abattit son bâton de toutes ses forces et à plusieurs reprises sur la tête du malheureux. Peu à peu, le sac de jute se teinta de sang vermeil.

Le vieux couple descendit le cadavre, le sortit de la maison et le glissa péniblement vers la berge où, bientôt, la marée viendrait l'emporter.

Télesphore et Herpingite revinrent à la maison et ouvrirent la bourse de l'étranger. Elle était remplie de pièces d'or. Jamais ils n'avaient vu autant de richesses étalées devant eux. Ils ne ressentirent aucun remords. Après tout, cet homme qu'ils avaient tué n'était qu'un vulgaire étranger.

Le lendemain matin, le vieux couple se rendit au magasin général afin de commencer à dépenser tout cet argent. Ils rêvaient depuis longtemps à de nouveaux vêtements. C'était donc le temps d'en profiter.

Ils entrèrent dans le magasin et aussitôt, le sourire aux lèvres, Jo dit :
— Ah, comme vous devez être contents !

Le vieil homme et la vieille femme se regardèrent, stupéfaits.
— Mais oui, ce n'est pas tous les jours qu'un fils revient chez soi après tant d'années. Le retour de l'enfant prodigue quoi ! poursuivit Jo.

Télesphore et Herpingite ne comprenaient pas.
— Mais de qui parlez-vous, Jo ? dit le vieil homme en blêmissant.
— Ben voyons, c'est votre fils qui est revenu hier. Il est allé chez vous passer la nuit pour vous faire une surprise. Vous l'avez sûrement reconnu, n'est-ce pas ? dit Jo en riant.

Ce fut comme si la mort venait de s'abattre sur le vieux couple. Ils échangèrent un regard rempli de panique qui, rapidement, se transforma en un regard de terrible douleur. Ils sortirent du magasin d'un pas lourd.

Ils entrèrent dans leur maison. Le sac de jute ensanglanté finissait de brûler dans l'âtre. Ils avaient assassiné leur seul et unique fils.

En proie à un cruel désespoir, ils se laissèrent choir sur le plancher et ne se relevèrent jamais. Sur la table, les pièces d'or miroitaient tandis que le feu s'éteignait lentement dans l'âtre.

Jo, inquiet, se rendit chez les Dumoulin et découvrit la scène macabre. Il vit les corps, les pièces d'or. Dans un coin de la maison, il aperçut un bout de bois. Sans raison apparente, il se dirigea vers ce bout de bois. Il le prit dans ses mains et l'examina. Sur un côté, il y avait du sang séché et quelques cheveux bruns.

Jo comprit.

On ne retrouva jamais le corps d'Ubald. Le vieux meunier et sa femme furent excommuniés. On les enterra sur un terrain adjacent au cimetière, la tête dans les limites du cimetière et le corps dans un pacage où venaient brouter les vaches.

Depuis cette nuit meurtrière, les étrangers en quête d'un gîte remarquèrent qu'en leur ouvrant la porte, les vieux de Saint-Nicolas avaient la singulière manie de réciter tout un chapelet de prénoms sur un ton interrogatif.

Les résurrectionnistes

Adapté de « Un épisode de résurrectionnistes »
Wenceslas-Eugène Dick, 1876

Vers la fin du XIXe siècle, les étudiants en médecine de l'Université Laval à Montréal connurent une longue période de pénurie de « sujets » à disséquer. Dans le meilleur des cas, leur professeur leur offrait trois ou cinq cadavres d'individus, morts à l'hôpital ou en prison, dont personne ne voulait. Tels des vautours affamés, ils se jetaient avidement sur les cadavres, jouant du scalpel à tout vent.

On avait épuisé toutes les ressources légales. Les salles de dissection étaient mortellement désertes, tandis que les charniers environnants regorgeaient de chairs à triturer. Devant pareille iniquité, les étudiants frustrés tinrent un conseil de guerre dans la grande salle d'études. Des éclats de voix fusaient de toutes parts. D'amères protestations entrecoupaient d'éloquents discours. Quelqu'un pesta contre la salubrité du climat montréalais et la gredinerie de la mort. Un désespéré suggéra de faire venir des cadavres des États-Unis, s'attirant les foudres des patriotes qui refusaient de promener leurs scalpels royalistes dans des chairs républicaines. Plutôt déclarer la guerre aux chiens errants et aux chats de gouttières que d'en venir à une si déshonorante extrémité !

À l'issue de la réunion, on avait décortiqué toutes les facettes de la question sans aboutir à une solution légalement ou moralement acceptable. Il ne restait plus qu'à remballer les scalpels. Mais pour Phil Couture et Jean Couperet, deux brillants chirurgiens en devenir, renoncer au droit de chercher dans la mort le secret de la vie était inconcevable. L'heure était grave. Il fallait trouver des sujets coûte que coûte. Alors Phil et Jean optèrent pour l'ultime solution : « aller en résurrection ».

Aller en résurrection signifiait aller voler des cadavres, soit dans les charniers en hiver, soit dans les cimetières en été.

Aller en résurrection exigeait que l'on fasse fi de l'aspect profanateur de la chose. Lorsqu'un mort reposait dans sa tombe, on le laissait en paix, son âme appartenait à Dieu et son corps aux asticots. Mais Jean et Phil transgresseraient les lois morales au nom de la science médicale.

Aller en résurrection exigeait aussi que l'on témoigne du courage. C'était une quête parsemée d'obstacles. Pour commencer, il fallait tromper la vigilance du bedeau. Les bedeaux vouaient une haine viscérale aux « voleurs de morts ». Ils avaient la réputation de défendre farouchement leurs protégés. Des étudiants téméraires étaient revenus avec des preuves évidentes, dans le dos ou plus bas, du déplorable penchant qu'avaient certains bedeaux à tirer sans cérémonie sur les profanateurs de tombes.

En plus du bedeau, il fallait se méfier des chiens de garde. Ces quadrupèdes-là se jetaient sur les « fonds de culottes » médicaux avec autant d'acharnement que le bedeau flanquait des coups de fusil.

Sachant tout cela, Phil et Jean préparèrent leur acte soigneusement. Jean était natif d'une paroisse située à une trentaine de kilomètres de la ville. C'était là aussi que demeurait l'élue de son cœur, la belle Louise. Il en connaissait par conséquent tous les arcanes. Il savait que le bedeau était un brave homme d'une nature lymphatique, qui se couchait tôt et ne se réveillait qu'au chant du coq. En outre, il détestait tous les animaux à quatre pattes. Autant de circonstances favorables pour Phil et Jean. C'était donc dans la paroisse de ce bon bedeau qu'ils iraient en résurrection.

Par une sombre nuit de janvier, les deux résurrectionnistes partirent en carriole commettre leur délit légitime. La neige tombait en gros flocons lorsqu'ils atteignirent le presbytère. Il était deux heures du matin. Ils marchèrent jusqu'à la porte du charnier. Jean introduisit un passe-partout dans la serrure et fit jouer le lourd pêne. Il poussa la porte d'un vigoureux coup d'épaule et entra bravement. Phil le suivit et la porte se referma derrière eux.

L'odeur âcre de cadavre saturait l'atmosphère. Phil sentit ses cheveux se dresser sur sa tête comme les pics d'un hérisson. Avant d'être paralysé par la peur, Jean alluma une lanterne. Une pâle clarté se répandit dans le caveau mortuaire. Une douzaine de cercueils entouraient les résurrectionnistes : des grands, des petits, les uns en bois de sapin, les autres en chêne vernissé.

Ils s'attaquèrent au cercueil le plus proche. Jean tendit la lanterne à Phil et se mit à l'ouvrage. En cinq minutes, il avait enlevé les vis et fait sauter le couvercle avec un ciseau. Puis il souleva le suaire blanc et tira le cadavre à lui, en le prenant par la tête.

Phil approcha la lanterne pour voir le sujet, mais Jean hurla : « Louise ! » lâcha la tête et fit un bond en arrière. Le cadavre se redressa lentement et, s'aidant des mains, se mit sur son séant. La jeune fille fixa ses yeux éteints sur Jean, murmura le nom de ce dernier, puis promena autour d'elle un regard terrifié. Semblant prendre conscience de sa situation, elle essaya de joindre ses mains et, ce faisant, retomba lourdement dans son cercueil, un rictus effrayant déformant son visage.

Fou de douleur, Jean se précipita sur le cercueil ouvert et appela Louise des noms les plus tendres. Se souvenant qu'on avait déjà rapporté des cas de sommeil cataleptique ressemblant à la mort, il couvrit aussitôt de baisers morbides les lèvres glacées de sa bien-aimée, dans le fol espoir de la ranimer.

Si la jeune fille n'était pas vraiment morte la première fois, elle l'était bel et bien cette fois-ci. Le choc de se retrouver dans une tombe profanée par son fiancé avait de quoi arrêter son cœur pour de bon.

Glacé d'horreur, Phil arracha Jean des lèvres de Louise. Tous deux replacèrent maladroitement le couvercle du cercueil, déguerpirent du charnier et retournèrent en vitesse à la ville.

En arrivant à la pension, Jean trouva sur sa table une lettre en deuil à son adresse. Il l'ouvrit fiévreusement. C'était l'annonce de la mort de Louise arrivée deux jours auparavant. Un malentendu avait empêché que cette lettre lui fût remise avant son départ.

À la suite de l'effroyable aventure qui venait de leur arriver, Phil et Jean se firent la promesse solennelle de ne plus jamais aller en résurrection.

La bride de Charlotte

Inspiré de « Littérature orale de la Gaspésie »
Carmen Roy, 1981

L'Islet-sur-Mer est un petit village situé sur la rive sud du fleuve, en face de l'île aux Grues, un peu en aval de Montmagny.

Il y a fort longtemps, en mai 1768, peu après la conquête du pays par les tuniques rouges, le village ne disposait que d'une petite chapelle de bois rond rustique, froide en hiver et étouffante en été. Pour célébrer leurs fêtes religieuses importantes, telles que Pâques et Noël, ou pour bénir les mariages, les baptêmes et les enterrements, les villageois devaient se rendre jusqu'à Cap-Saint-Ignace. Le seul curé de la région, un missionnaire, devait se déplacer pour servir ses fidèles.

Un jour, la rumeur courut que les gens de l'Islet allaient avoir leur curé bien à eux qui demeurerait sur place. Il s'agissait d'un certain Panet, de qui on disait beaucoup de bien.

On décida donc de bâtir une église, la première du village. Le projet de construction présentait cependant un défi de taille. Comment, en effet, allait-on pouvoir transporter les grosses pierres dont serait bâtie l'église ?

Les chevaux étaient rares et ceux qui s'y trouvaient étaient trop occupés aux labeurs des labours et de la récolte, sans compter tous les autres travaux auxquels on affectait ces pauvres bêtes nées pour l'éreintement éternel.

Une nuit, le père Panet, qui ne cessait de se préoccuper de ce problème, entendit son nom dans l'obscurité de la petite chambre qu'il occupait provisoirement dans la maison des Manet.

— Panet, Panet, Panêêê… dit la voix gémissante comme un mouton qui bêle.

Le curé s'éveilla en sursaut, le cœur battant. Il avait peur du diable. Il avait toujours eu une sainte peur du diable et c'est pourquoi il s'était toujours conformé à toutes les règles de sa religion, sans jamais succomber aux tentations de la chair.

Panet n'avait donc rien à craindre du Malin.

— Que voulez-vous ? lança-t-il, assis dans son lit, un peu effrayé, un peu frondeur.

— Je suis Notre-Dame-des-Sept-Douleurs. Sois sans crainte et aie confiance, je suis là pour t'aider à construire ton église, dit la voix.

Le curé respira plus à l'aise. La voix reprit :

— Demain, un cheval t'attendra à ta porte. Il t'aidera à transporter toutes les pierres dont tu auras besoin pour ériger un temple à la mémoire de notre seigneur des cieux.

— Merci, merci, bonne dame, dit le curé, reconnaissant.

— Mais il y a une condition, ajouta la voix.

Le curé tendit l'oreille.

— Jamais tu ne devras débrider ce cheval, jamais, jamais, jamais. Si tu ne veux pas que la malédiction s'abatte sur toi et tes ouailles, jamais tu ne libéreras ce cheval de sa bride.

Il se réveilla à l'aurore et, se souvenant de la voix dans la nuit, il crut avoir rêvé. Mais bientôt, il entendit le piaffement d'un cheval, tout près. Il s'habilla à la hâte, descendit au rez-de-chaussée et sortit à toute vitesse. Devant la maison de pierres, une superbe jument à la robe luisante, noire comme l'ébène, était attachée à un arbre par une bride noire toute neuve.

Il n'avait donc pas rêvé. Le miracle avait eu lieu. Il était béni du ciel. Il s'approcha de la jument et caressa sa crinière. Celle-ci lui présenta son museau avec douceur et docilité.

Le père Panet demanda à tous les ouvriers disponibles de se rendre au village. Les travaux allaient enfin pouvoir commencer. Lorsque tous les ouvriers furent réunis devant lui, le curé leur annonça :

— Voilà que nous avons maintenant une bonne bête qui nous permettra de transporter toutes les pierres dont nous aurons besoin pour l'église. Mais attention ! Jamais vous ne devrez débrider cette jument, jamais, peu importe les raisons qui vous pousseraient à le faire.

Ils appelèrent la jument Charlotte.

Les travaux commencèrent. Charlotte fut attelée à un chariot à roues basses et tira son premier voyage de pierres vers l'emplacement de la future église, en plein village. Malgré le poids énorme de sa charge, Charlotte filait allègrement comme une jeune fille dans les prés.

Le deuxième voyage fut deux fois plus lourd; le troisième, trois fois. Mais Charlotte ne semblait pas s'apercevoir de la différence. Alors, constatant la force exceptionnelle de la jument, les villageois construisirent un chariot beaucoup plus grand et y entassèrent des pierres de granit. Charlotte tirait sans peine comme s'il s'agissait d'une balle de foin.

Anatole était responsable de la jument. Il la nourrissait, l'abreuvait et la brossait. Il veillait bien à ce que jamais, jamais au grand jamais, on ne la débridât. Après tout, le curé avait été formel là-dessus. Il avait même menacé d'excommunication quiconque aurait ne serait-ce que l'idée de la débrider.

Un jour, toutefois, Anatole fut appelé en dehors du village. De la mortalité dans la famille l'obligeait à se rendre à Montmagny pour le service funèbre. Mais pendant son absence, les travaux d'érection de l'église devaient se poursuivre et la jument fut mise sous la protection d'Anasthase.

Anasthase était un forgeron d'une force exceptionnelle qui ne comptait jamais les heures de travail. Il cognait l'enclume heure après heure, forgeant scies et faucilles et marteaux et attelages. Mais il se croyait plus intelligent que les autres. Il était aussi un tantinet vantard sans doute parce qu'il avait les plus gros bras du village. Il était le plus fort et il le laissait paraître.

Aujourd'hui, Charlotte était sa jument. Il la menait avec force jurons et la faisait travailler tant qu'il pouvait. Anatole l'avait bien averti de ne jamais débrider la jument, sinon, un malheur s'abattrait sur tout le village. Mais Anasthase était têtu et n'avait que faire de ces superstitions de bonne femme.

Cette journée-là, il faisait terriblement chaud à l'Islet. En traversant la rivière La Tortue, Anasthase arrêta sa jument au beau milieu du cours d'eau et voulut la laisser boire de tout son soûl. Mais Charlotte refusait de s'abreuver. Il porta un peu d'eau à son museau, mais elle ne voulut rien savoir. Le forgeron se dit alors que la bride empêchait l'animal de boire et l'enleva spontanément.

Aussitôt, Charlotte paniqua et partit au galop, comme piquée par des éperons invisibles. Elle fila à toute vitesse le long du chemin du Roy, laissant derrière elle un nuage de poussière.

Revenant à la maison des Manet, le père Panet vit Charlotte galoper comme une folle vers lui. Il brandit immédiatement son crucifix et la jument se cabra. Quittant le chemin, elle piqua au nord vers le rocher qui surplombe le fleuve. Sans ralentir sa course effrénée, elle fonça en direction de la masse de pierre au risque de s'y fracasser la tête. Mais juste avant l'inévitable impact, le rocher s'ouvrit tout grand dans un craquement semblable à celui d'une noix de Grenoble que l'on écrase. Une lumière blanche aveuglante surgit de l'intérieur du rocher et des flammes bleutées vinrent lécher les bords de l'ouverture.

Charlotte disparut dans le rocher qui se referma aussitôt. Puis une forte odeur de soufre se répandit sur tout le village.

Pendant des années, le fameux rocher fut la cause de nombreux accidents. Les chevaux noirs qui passaient à proximité s'affolaient et se mettaient à galoper dans tous les sens, envoyant valser les chariots et leurs occupants. Certains disaient avoir entendu des gémissements provenant du rocher, d'autres prétendaient y avoir vu des loups-garous.

Peu après sa construction, l'église fut rasée par un terrible incendie. Le lendemain du sinistre, on s'aperçut qu'un étranger était venu passer la nuit à l'auberge du village. Il était arrivé dans une carriole tirée par un cheval noir.

Depuis, à l'Islet-sur-Mer, les chevaux qui travaillent à la ferme sont bruns, blancs ou tachetés. Jamais noirs.

Le démon de l'île

Conte inédit de Michel Savage
Inspiré de la tradition orale, 2006

Avant la création de la nature, l'univers n'était que chaos. Du noir à l'infini. Seuls les bruits existaient dans une cacophonie totale. Malgré l'inexistence de leur matière, on percevait le murmure du ruisseau, l'éclatement du glacier, le grondement du volcan, le bruissement d'une feuille, le sifflement de la tempête, le froissement d'une aile, l'écho de la baleine.

Dans ce tumulte infernal, les cris et les hurlements des diables se faisaient entendre.

L'univers était dominé par les forces du mal. Loin d'être rouge de flammes punitives, l'enfer était noir et froid comme la mort.

Dans cette éternité de nuits sans fin, une voix venue de nulle part s'éleva au-dessus du tumulte et dit :
— Je veux que naisse le Québec.

La voix était sans doute celle d'un créateur. Il sculpta un socle de granit pour supporter la forêt, les montagnes, le fleuve et les millions de lacs. Il mit de l'ordre dans les bouleaux, les sapins et les épinettes, puis il créa des milliards de maringouins qui trouvèrent refuge dans les marécages et les tourbières. Il inventa les mouffettes et les ratons laveurs. Il installa le soleil et fabriqua les saisons, une pour souffrir du froid des enfers, une pour se réchauffer des délices de la création et deux autres pour faire la transition.

Quand tous ces êtres et toutes ces choses furent en place, l'harmonie chassa le tumulte de l'enfer. Le Québec était.

Alors la voix dit :
— Je veux que des êtres libres s'aiment dans ce pays.

Mais tel un rauque écho, la voix de l'enfer s'était jointe à celle du Créateur. Belzébuth s'était immiscé, juste au moment de la création des humains.

Lorsque les habitants apparurent dans le pays de neige, ils ne firent pas que s'aimer, car ils étaient nés à la fois des forces du bien et du mal.

Le Créateur, voyant qu'à cause des démons ces gens devraient vivre dans la dualité, annonça alors :
— Belzébuth, toi qui as volé la voix de mon désir, tu devras donner à ces hommes un grand fleuve que tu creuseras de tes mains dans le roc. Tu parsèmeras ce fleuve d'îles et de rochers afin de le rendre à ton image : cruel, froid, menaçant. Tu régneras sur ce domaine de brouillard et de vents cinglants.

Belzébuth planta son poignard dans le Québec qui s'ouvrit pour laisser entrer la mer. Le fleuve était né d'une meurtrissure. Puis il sculpta la Côte-Nord, déchira les montagnes pour y faire surgir un fjord. Au bout de ce fjord, il érigea les caps Trinité et Éternité.

Belzébuth se dressait sur le cap Éternité, forme noire sans substance, gloussant de fierté devant son œuvre sombre. Soudain, un souffle froid balaya le fleuve qui se couvrit de moutons gris. Belzébuth fut projeté en bas du cap et happé par la grande mer qui descendait le fleuve.

Le diable fut poussé par le vent jusque de l'autre côté du fleuve. Son hasardeux périple s'arrêta à l'île Verte, paradis de fraîcheur recouvert d'une terre fertile et noble. Incapable de retourner dans le néant, Belzébuth élut domicile sur cette île.

Bien longtemps après la création de toutes les races d'humains, toutes accablées par la dualité, l'île se peupla d'Amérindiens. Mais sentant qu'il y avait là une présence maléfique, ils quittèrent l'île et furent remplacés par des familles françaises catholiques. Belzébuth, toutefois, séduisit ces familles tant et si bien qu'elles en vinrent à le vénérer.

Aux clochers des églises de l'île Verte, des croix à l'envers défiaient le Créateur. Belzébuth se sentait bien sur cette île. Les habitants avaient chassé le curé, ils s'étaient débarrassés des chapelets, des hosties, des ciboires, des tabernacles et des sacrements. Ils étaient devenus des adorateurs de Belzébuth.

Un jour, une goélette basque apparut à l'horizon, entre les rives escarpées du fleuve, ses deux mâts penchés sur un noroît.

Dès qu'ils mirent le pied sur l'île, les Basques, qui croyaient en être les découvreurs, plantèrent immédiatement une croix. Les habitants de l'île, terrorisés par la croix, partirent à la recherche de Belzébuth afin qu'il les délivre de cette abominable menace et chasse les étrangers.

La croix érigée par les Basques effraya Belzébuth. Une froide bourrasque apporta la tempête et, dans un ciel déchiré par les éclairs et ébranlé par un lourd tonnerre, Belzébuth sortit de la terre de l'île Verte et disparut en virevoltant dans la tourmente.

Belzébuth ne revint jamais à l'île Verte. Les habitants cessèrent de pratiquer le culte du démon.

Certaines nuits, quand la mer est calme, des femmes se rendent au pied de la croix basque pour y chanter les louanges du Bien. Parfois, une voix lumineuse s'ajoute à cette chorale.

Et la voix dit : « Que dans cet enfer boréal vive une île d'abondance et de douceur. »

Sources

1. La tourte, hier

Conte inédit de Germaine Adolphe inspiré de faits historiques, 2006

2. La chasse-galerie

Adapté de Honoré Beaugrand, *La chasse-galerie : légendes canadiennes*, Montréal, 1900, p. 9-34

3. Outikou

Inspiré de Jean-Charles Taché, « La légende du géant des Méchins » dans *Les soirées canadiennes*, Québec, Brousseau, 1861-1865, 1861, p. 97-109

Inspiré de Alphonse Leclaire, *Le Saint-Laurent historique, légendaire et topographique*, Québec, ministère de l'Agriculture, 1900, p. 266-268

4. La vengeance des marsouins

Inspiré de Katherine Hale, « Légende de la Rivière Ouelle » dans *Légendes du Saint-Laurent*, Montréal, CPR, 1926, p. 37-38

5. Angélique

Conte inédit de Michel Savage inspiré de faits historiques, 2006

6. La croix du Grand-Calumet

Adapté de Guillaume Lévesque, « La croix du Grand-Calumet », dans *L'écho des campagnes*, vol. II, n°s 2 et 3, Berthierville, (18 et 25 novembre) 1847

7. Des cris dans la brume

Adapté de Jean-Aubert Loranger, « Deux histoires de brume pour marins d'eau douce », dans *La Patrie*, 1940

8. La princesse basque

Inspiré de Katherine Hale, « The Ghost Ship » dans *Legends of the St. Lawrence*, CPR, 1926, p. 43-44

9. La maison qui tremble

Conte inédit de Michel Savage, 2006

10. Le mouillage maléfique

Inspiré de « Légendes gaspésiennes : la légende du braillard, la légende… », dans *Le journal d'agriculture*, Montréal, vol. 35, n° 2, août 1931, p. 33

Inspiré de Alphonse Leclaire, *Le Saint-Laurent historique, légendaire et topographique*, Québec, ministère de l'Agriculture, 1900, p. 271

11. Les loups-garous

Adapté de Honoré Beaugrand, *La chasse-galerie : légendes canadiennes*, Montréal, 1900, p. 33-42

12. Les diables du matin

Inspiré de Charles-Édouard Rouleau, *Légendes canadiennes*, Granger, 1930, p. 43-53

13. L'Iris

Conte inédit de Michel Savage inspiré de faits historiques, 2006

14. Le retour de l'amant

Inspiré de « Le rocher de Grand-Mère », tradition orale anonyme, rapportée dans *Fruitages de la Mauricie*, recueil de Serge Fournier et Étienne Poirier, Éditions Glanures, CEGEP de Shawinigan, 1983, p. 79

15. La Corriveau

Conte inédit de Michel Savage, 2006, inspiré de contes de Louis Fréchette et de Philippe-Aubert de Gaspé (*Les anciens Canadiens* – 1863), eux-mêmes inspirés de faits historiques

16. La peine d'Isabelle

Adapté de Jean des Gagniers, « La roche pleureuse » dans *L'Île-aux-Coudres*, Leméac, 1969, p. 93-94

17. La Marguerite à Roberval

Conte de Michel Savage adapté de faits historiques, 2006

18. Le naufrage

Inspiré de la Commission de toponymie du Québec et de P.G. Roy, *Les noms géographiques de la province de Québec*, Lévis, 1906

19. Le diable au bal

Adapté de Joseph-Fernand Morissette, « Le diable au bal » dans *Au coin du feu, nouvelles, récits et légendes*, Piché, 1883, p. 20-32

20. Le trésor diabolique

Inspiré de Marius Barbeau, « Les trésors enfouis », dans *L'Almanach du peuple*, 1920, p. 309-310

21. D'où vient l'hiver

Conte inédit de Michel Savage, 2006

22. La mort du père

Adapté de Sylva Clapin « Un vieux », dans *Le Monde Illustré*, 17e année, no 863, 22 décembre 1900, p. 530-531

23. Les rats fous

Inspiré de Philippe-Aubert de Gaspé, fils, « L'homme du Labrador », dans *Conteurs canadiens-français du XIXe siècle* de Édouard-Zotique Massicotte, Beauchemin, 1908, p. 13-23

24. La punition de l'avare

Adapté de Honoré Beaugrand, « La punition de l'avare » dans *La chasse-galerie : légendes canadiennes*, Montréal, 1900, p. 83-92

25. Le cas de Méphistine

Conte inédit de Michel Savage, 2006

26. La caverne fatale

Inspiré de Charles Gauvreau, « L'Islet au massacre, du Bic » dans *Au bord du Saint-Laurent (Histoires et légendes)*, 1923, p. 23-29

Inspiré de Alphonse Leclaire, *Le Saint-Laurent historique, légendaire et topographique*, Québec, ministère de l'Agriculture, 1900, p. 257-258

27. Les lutins

Inspiré de Louis Fréchette, *Les lutins*. Librairie Beauchemin Limitée, 1919, p. 5-20

28. À la Sainte-Catherine

Adapté de Charles-Marie Ducharme, « À la Sainte-Catherine » dans *Ris et croquis*, C.O. Beauchemin & Fils, 1889, p. 271-280

29. Le Bonhomme Sept-Heures

Conte inédit de Michel Savage inspiré de la tradition orale, 2006

30. Le cap du chat

Inspiré de « Cap-Chat » dans L'Encyclopédie Wikipedia – http://fr.wikipedia.org/wiki/Cap-Chat, 2006

31. Émilie

Inspiré de Henri-Raymond Casgrain, « La jongleuse », Librairie Beauchemin Limitée, 1912

32. La griffe du diable

Inspiré de la tradition orale telle que présentée par Aristide Rouillard, « Les pistes du yable », dans http ://cafe.rapidus.net/yrouilla/debut.htm, 2006. Par permission de Yves Rouillard

33. Le sirop d'érable

Conte inédit de Michel Savage inspiré de diverses légendes amérindiennes, 2006

34. La flotte engloutie

Adapté de Faucher de Saint-Maurice, « L'amiral du brouillard » dans *À la brunante : contes et récits*, Duvernay, frères et Dansereau éditeurs, 1874, p. 169-195

35. Le gobelet d'argent

Adapté de Charles Gauvreau, « Un saint missionnaire, le père Ambroise Rouillard » dans *Au bord du Saint-Laurent (Histoires et légendes)*, 1923, p. 52-57

Inspiré de Alphonse Leclaire, *Le Saint-Laurent historique, légendaire et topographique*, Québec, ministère de l'Agriculture, 1900, p. 249-251

36. Le brouillard du Saguenay

Inspiré de Georges Bélanger, *La bonne Sainte Anne au Canada et à Beaupré*, imprimerie l'Action Sociale Ltée, 1923, p. 81-82

37. La possédée du meunier

Conte inédit de Michel Savage, 2006, inspiré de faits historiques rapportés dans *La vie de Mère Catherine de Saint-Augustin*, Paul Ragueneau, Florentin Lambert, 1671

38. La bête à grand'queue

Adapté de Honoré Beaugrand, *La chasse-galerie : légendes canadiennes*, Montréal, 1900, p. 43-54

39. Le glas de Tadoussac

Inspiré de Charles Gauvreau, « La légende des cloches sonnant » dans *Au bord du Saint-Laurent (Histoires et légendes)*, 1923, p. 18-22

Inspiré de Alphonse Leclaire, Le Saint-Laurent historique, légendaire et topographique, Québec, ministère de l'Agriculture, 1900, p. 183 et 193

40. L'homme d'Anticosti

Adapté de Jean-Baptiste-Antoine Ferland, « Le sorcier d'Anticosti » dans *Le Pays (Opuscules)*, Imprimerie A. Côté et cie, 1877, p. 5-34

41. La sorcière de l'île

Conte inédit de Michel Savage, inspiré en partie par des textes de Marc Lescarbot dans *Histoire de la Nouvelle-France*, Millot, 1609 (édition de 1874, p. 374 – *la Gougou*)

42. Carib et Silla

Inspiré de Anselme Chiasson, « Les sirènes de mer » dans *Les légendes des îles de la Madeleine*, Éditions des Aboiteaux, 1969, p. 111

43. La gent ténébreuse

Adapté d'Alfred Désilets, dans *Souvenirs d'un octogénaire*, P.R. Dupont, imprimeur, 1922, p. 41-49

44. Les deux meuniers

Inspiré de « La légende des vieux moulins » dans *Légendes de Lanaudière*, édité par Réjean Olivier et Anne Leblanc, Joliette, 1997, p. 79-82. Par permission spéciale

45. Cécile et le feu follet

Conte inédit de Germaine Adolphe, 2006

46. Le débiteur fidèle

Adapté de Louis-Auguste Olivier, « Le débiteur fidèle », dans *La Revue canadienne*, vol. 1, n° 14, 5 avril 1845, p. 129-131

47. Le canot de la dernière chance

Inspiré de Auguste Panneton, *Mon petit pays*, Trois-Rivières, Éditions du Bien public, 1933, p. 5-11

48. La roche ensanglantée

Adapté de Joseph-Philippe Héroux, « Le fantôme de La Roche » dans *En bâtissant des églises : souvenirs*, dans *le Devoir*, 1917, p. 11-25

49. L'achaleur de chats

Conte inédit de Michel Savage, 2006

50. La ceinture

Adapté de Louis Fréchette, « La ceinture de mon oncle », dans *La Presse*, 8e année, no 290, 15 octobre 1892, p. 4

51. Le vaisseau de pierre

Inspiré de Françoise « La légende du rocher de Percé » dans *Les lutins*/par Louis Fréchette, Libraire Beauchemin Limitée, 1919, p. 47-54

52. Aristide et la louve-garoune

Inspiré de Honoré Beaugrand, *La chasse-galerie : légendes canadiennes*, Montréal, 1900, p. 33-42

53. Sedna

Conte inédit de Michel Savage inspiré d'une légende inuite, 2006

54. Les fusils des patriotes

Inspiré de Alphonse Leclaire, *Le Saint-Laurent historique, légendaire et topographique*, Québec, ministère de l'Agriculture, 1900, p. 169-170

55. Les trois diables

Adapté de Paul Stevens, « Les trois diables » dans *Contes populaires, Desbarats*, 1867, p. 51-65

56. Le rocher malin

Inspiré de Edmond Pelletier, « Le rocher malin » dans *Album historique et paroissial de Notre-Dame-du-Portage*, Imprimerie Provinciale, 1942, p. 182-183

57. Le narval

Conte inédit de Michel Savage, 2006

58. Le père Louison

Adapté de Honoré Beaugrand, *La chasse-galerie : légendes canadiennes*, Montréal, 1900, p. 69-82

59. Satan et les ivrognes

Inspiré de « Légendes gaspésiennes : la légende du braillard, la légende… » dans *Le journal d'agriculture*, Montréal, vol. 35, no 2, août 1931, p. 33

60. Le noyeux

Adapté de Joseph-Charles Taché, « Le noyeux et l'hôte à Valiquet » dans *Forestiers et voyageurs : mœurs et légendes canadiennes*, Librairie St-Joseph, Cadieux & Derome, 1884, p. 148-157

Adapté de Joseph-Charles Taché, « Le noyeux », dans *Conteurs canadiens-français du XIXe siècle* de Édouard-Zotique Massicotte, Beauchemin, 1908, p. 117-121

61. Juré sacré

Conte inédit de Michel Savage, inspiré d'une légende locale, 2006

62. Le retour du fils

Inspiré de Pamphile Lemay, « Sang et or » dans *Contes vrais*, Beauchemin, 1907, p. 79-117

63. Les résurrectionnistes

Adapté de Wenceslas-Eugène Dick, « Un épisode de résurrectionnistes », dans *L'Opinion publique*, vol. VII, n° 19, 1876, p. 224

64. La bride de Charlotte

Inspiré de Carmen Roy, *Littérature orale de la Gaspésie*, Montréal, Leméac, 1981, p. 133

65. Le démon de l'île

Conte inédit de Michel Savage, inspiré de la tradition orale, 2006